チャンスを生かせ！大富豪の一手

3分間サバイバル

あかね書房

もくじ

01

専業主婦《せんぎょうしゅふ》の大発明

成功→なぜ？

ちょっと背《せ》のびをして、棚《たな》の上の段《だん》に手をのばした——そのとき、あたしはなんともいえない気持ちよさを感じたのだ。

つま先立ちで、背《せ》すじがのびたからかな？

ステンレスがはられたキッチンの壁《かべ》に向かってニコッとすると、ぼやけた笑顔《えがお》がうつる。この数年——40代に入ったころから、あたしは鏡を見るのがきらいになっていた。太ってしまった自分を直視《ちょくし》するのがいやだったのだ。

親の介護《かいご》がいそがしくなってから、お菓子《かし》をドカ食いするのがストレス解消《かいしょう》になっていた。

専業主婦《せんぎょうしゅふ》はただでさえ仕事が多いから、バドミントンサークルに通う時間もなくなって。それで、どんどん太り出したわけ。


あたしはもう一度、つま先立ちをしてみた。今度は、鏡の前で。

これでも学生時代は体操部《たいそうぶ》だったんだ。

これ、いいかも。

つま先立ちは、足首が細くなる効果《こうか》がある。ふくらはぎの筋肉《きんにく》もきたえられて、引きしまるんだよね。

ダイエットの記事に「駅の階段《かいだん》はつま先で上るといい」ってよく書いてあるし。

いつも、つま先歩きで家事をやってたらやせるんじゃない?

よし、今日からスリッパ廃止《はいし》。家の中ではつま先で歩こう!


と、決意したけどさすがに無理があった。

すぐに疲《つか》れちゃって続かない。それと、やっぱり不自然な姿勢《しせい》だからか、気づいたら床《ゆか》にかかとをつけてしまってる。

いい考えだと思ったんだけどな。

この方法でダイエットに成功したら、ジムに通う時間のない人の間で大流行《だいりゅうこう》するんじゃない？

そこであたしは「つま先で歩き続けるためには何が必要か」を考え、「発明品」を完成させたんだ。

最初は身近なものを加工してみた。これは役に立つと思って試作をくり返し、友だちにも使ってもらったら大好評《こうひょう》で。

まさか、商品化して会社《かいしゃ》をおこして――あたしみたいなフツーの専業主婦《せんぎょうしゅふ》の発明が、何十億円もの売り上げを出すことになるなんてね……。

主人公が作った発明品とはどんなものだろうか。
ヒントは「つま先」で歩き続けられるもの。

解説《かいせつ》

主人公が最初にやったのは、スリッパのかかとの部分を切り落とすことだ。短くしたスリッパをはいていると、ふくらはぎが筋肉痛《きんにくつう》になった。「運動になっている」と実感し、はき続けるうちに体が軽くなってきたという。「ダイエット効果《こうか》がある」と確信《かくしん》し、試作をくり返して商品化したところ、瞬《また》く間に大反響《はんきょう》を呼《よ》んだ。これは「専業主婦《せんぎょうしゅふ》の大発明」として有名になった中澤信子《なかざわのぶこ》さんをモデルにした話である。

商品名は「初恋《はっこい》スリッパ」。「初恋《はっこい》をしていた10代のころのようにスマートになれるように」との思いから名づけたそうだ。１９９０（平成２）年に誕生《たんじょう》し、今も人気のロングセラー商品となっている。日常《にちじょう》生活のなかで運動ができるアイディアに加え、女性《じょせい》の心をつかむネーミングのうまさもヒットの要因《よういん》だろう。

02

魔《ま》法《ほう》のマラソンシューズ

成功↓なぜ？

「走っても足の裏《うら》にマメができないシューズを作るっていうんですか？　そんなシューズができたら、ぼくは逆立《さかだ》ちしてマラソンしてみせますよ。」

世界的なトップアスリートにこう言い放たれて、鬼塚《おにつか》氏はくちびるをかんだ。

今では信じられないことだが——昔のマラソンランナーは「足にマメができるのは当たり前。痛《いた》みをものともせずに走るのが一流」と考えられていた。１９５０年代のことである。

戦後、「鬼塚商会《おにつかしょうかい》」を立ち上げた鬼塚喜八郎《おにつかきはちろう》はスポーツ専用《せんよう》のシューズづくりに打ちこんできた。

最初に作った商品はバスケットボール用のシューズである。バスケットボールでは、猛《もう》ダッシュをしたかと思うと急停止《ていし》したり、体の向きを変えたりする動きが重要だ。「靴底《くつぞこ》がすべらないシューズがほしい」というリクエストに応《おう》じて、鬼塚《おにつか》は日夜工夫にいそしんだ。

そして、ある夏の日。母親が夕飯に出してくれたタコとキュウリの酢《す》の物を見て「これだ！」とひらめいた。鬼塚《おにつか》は、靴底《くつぞこ》にタコの吸盤《きゅうばん》のような凸凹《でこぼこ》をつけることを思いついたのだ。最初はピタッと止まりすぎて、体育館のフロアで転ぶ選手が続出した。選手を観察したり、一人ひとりの意見を聞きながらくぼみを浅く改良し、すべらないバスケットシューズは完成にいたる。

そんな鬼塚《おにつか》が次に取り組んだのがマラソン用のシューズだった。

（マメができるのは当たり前といっても、できない方がいい記録が出るに決まってる。マメができないシューズを作ってやろう！）

これまでに作ったマラソン用シューズも、それなりに工夫をこらしてはいた。足の先から土ふまずが曲がりやすいように、靴底《くつぞこ》にはラバースポンジを使い、着地したときの衝撃《しょうげき》が少ないように——それでもマメはできてしまうのだ。

鬼塚《おにつか》はマラソンに関する資料《しりょう》を読みあさったが、ヒントは見つからない。そして、ある日——おふろの中で自分の足をながめているときに、ふと思ったのだ。

(体のことは医者が一番よく知っているはずだ。まずは、マメができるのはどうしてなのかを聞いてこよう!)

大学の医学部の先生は、鬼塚《おにつか》をこころよく迎《むか》えてくれた。

「マメができる現象《げんしょう》は、ヤケドの一種なんですよ。」

「え、ヤケド!?」

(そういえば、ヤケドをすると水ぶくれになるもんな。)

マラソンで足の裏《うら》にマメができるのは、着地するたびにシューズの内側で足の裏《うら》がこすれ、摩擦《まさつ》が起きるからだという。

「シューズの中で『衝撃熱《しょうげきねつ》』が発生することが原因《げんいん》ですね。」

「ということは、足が冷やされればマメはできにくくなりますか？　走っているわけですから衝撃《しょうげき》が起こるのはしかたないけれど、そのときに発生する熱を冷やすことができれば……？」

「そういうことになるでしょうね。」

（冷やすといってもなぁ。何を使ったらシューズの内側を冷やせるだろう？）
鬼塚《おにつか》が最初にヒントを得《え》たのは、タクシーの運転手からだ。
車のエンジンがオーバーヒートしてエンジンが動かなくなってしまったとき
――運転手が「すみません、エンジンを冷やす水を補給《ほきゅう》するのを忘《わす》れていました！」
と申し訳《わけ》なさそうに説明したのである。
（なるほど。水を使ってみよう。）
鬼塚《おにつか》は、靴底《くつぞこ》に水を入れたシューズを試作したが、これは大失敗に終わる。
シューズが重くなるのが致命的《ちめいてき》な上に、足が湿気《しっけ》でふやけてしまう。

（水はダメか。だとすると……？）
鬼塚《おにつか》は、自作のマラソンシューズをまじまじとながめた。
（ほかに足を冷やせるものはないだろうか。ただし、重くないもので……。）

やがて、鬼塚《おにつか》は正解《せいかい》にたどりついた。
鬼塚《おにつか》は「マジックランナー」と名づけたシューズを「逆立《さかだ》ちしてマラソンしてみせる」と言った選手にも試してもらった。結果、42・195キロを完走してもマメはできず——彼《かれ》はあっけにとられて、自分の足の裏《うら》をながめたという。

鬼塚《おにつか》はマラソンシューズにどんな工夫をしたのだろうか。

解説《かいせつ》

鬼塚《おにつか》は、シューズのつま先と、靴《くつ》のサイドの部分に空気穴《くうきあな》を開けたのだ。着地すると穴《あな》から空気がぬけ、足を前に出すと空気が入る。シューズの中で生まれる「摩《ま》擦熱《さつねつ》」を空気で冷やすわけだ。穴《あな》からはつねに新しい空気が入り、熱された空気が外に出ていく仕組みである。車のエンジンを水で冷やす「水冷式」の応用《おうよう》で失敗したのち、鬼塚《おにつか》はバイクに使われる「空冷式（エンジンを空気で冷やす）」からヒントを得《え》たという。１９６０（昭和35）年に鬼塚《おにつか》が完成させた「マジックランナー」は日本人だけでなく海外のトップ・ランナーも着用し、オリンピックの表彰台《ひょうしょうだい》にのぼることになる。

鬼塚喜八郎《おにつかきはちろう》がおこした「鬼塚商会《おにつかしょうかい》」は、現在《げんざい》も世界的な人気をほこるスポーツメーカー「アシックス」「オニツカタイガー」の前身である。

03

最新流行《りゅうこう》のバッグ

成功↓なぜ？

（そろそろ、新しいサービスを考えるときかもしれないな。）

K《ケー》氏はぼんやりとそんなことを考えていた。彼《かれ》は起業家である。若《わか》くして会社《かいしゃ》を立ち上げ、インターネットアプリの開発などさまざまな仕事を手がけてきた。なんとか数名の社員を雇《やと》ってはいるが、もうひとつ大きくもうかるビジネスを展開《てんかい》しないと先行きは苦しそうだ。

事実、収入《しゅうにゅう》が少なく、生活費《せいかつひ》を妻《つま》の収入《しゅうにゅう》に頼《たよ》ることも多かった。

K《ケー》氏は感謝《かんしゃ》の気持ちを表すため、妻《つま》の誕生日《たんじょうび》やクリスマスにはブランド品のバッグをせっせとプレゼントしている。

「すてきなバッグをありがとう！　すごく気に入ったわ！」

妻《つま》はそのたびに喜《よろこ》んでくれた。その言葉にうそはないようだが――K《ケー》氏は「本当に気に入ってくれてるのかな？」と不思議に思うこともある。妻《つま》はしばらくすると、彼《かれ》が贈《おく》ったバッグを使わなくなってしまうからだ。

ある日のこと。

「どう、似合《にあ》う？　来週、高校の同窓会《どうそうかい》に行くから買っちゃった。」

妻《つま》は鏡の前で新しいワンピースを着て、クルリとふりむいた。

「うん、よく似合《にあ》ってるよ！」

「ありがとう。だけど、持っていくバッグがないんだよねぇ。どうしようかな。今日見たやつ、買えばよかったかな。」

K《ケー》氏は驚《おどろ》いた。きれいなバッグはクローゼットにたくさんあるのに。

そこで、日ごろの疑問《ぎもん》を話してみると――妻《つま》は、ちょっときまり悪そうに言ったのである。

「たくさん持ってるけどね。最新流行《りゅうこう》の物を持ちたいっていう気持ちがあるんだよ。」

（ぼくは気に入ったバッグなら何年でも同じのを使うけどな。ファッションに敏感《びんかん》な女性《じょせい》にはこういう人、多いのかな。それじゃ、いくら買ってもキリがないな。）

そのとき、K《ケー》氏は思いついたのだ。

（常《つね》に最新の物を買っていたら、お金も置き場もキリがないけど。「キリがない」をなくして、しかも女性《じょせい》が満足できる方法があるじゃないか。うん……このアイディアはビジネスになる！）

K《ケー》氏は妻《つま》の言葉をヒントに新しいサービスをスタートし、大成功をおさめたのである。


K《ケー》氏はどんなサービスを思いついたのだろうか。

解《かい》説《せつ》

K《ケー》氏は「毎月会員料金を払《はら》えば高級ブランドバッグが借り放題」というサービスを始めたのだ。これは実話をもとにした話。モデルとしたラクサス・テクノロジーズでは、このサービスを２０２２年現在《げんざい》、月額《げつがく》６８００円で提供《ていきょう》している。会員は特別な日に限《かぎ》らず、日常《にちじょう》使いに利用しているそうだ。スマホアプリで好きなバッグを選び、レンタルの手続きをすると宅配便《たくはいびん》で送られてくる。返すのも宅配便《たくはいびん》なので手間がかからない。専門《せんもん》スタッフがバッグのメンテナンスをていねいに行っているので、状態《じょうたい》のよさも保《たも》たれている。

現在《げんざい》では「シェアリング（共有する）」サービスが広まっているが、ラクサスがこのサービスを始めた２００６年当時には非常《ひじょう》に画期的だった。今では、商品を「所有する」のではなく、月額料金《げつがくりょうきん》を払《はら》ってサービスを利用するサブスク（サブスクリプション）が花盛《はなざか》り。音楽配信や映画《えいが》配信、各種アプリなどもサブスクが主流になりつつある。

04

へき地の鉄道

成功↓なぜ？

ときは1907（明治40）年、大阪にて。

「鉄道会社で働かないか？」

こう誘《さそ》われたとき、小林一三《こばやしいちぞう》はそれほど気乗りがしたわけでもなかった。そもそも鉄道事業の経験《けいけん》なんてない。それでも、「やってみます」と返事をしたのはほかに仕事のあてがなかったからだ。

小林《こばやし》は、学生時代は小説家を目指していた。実家が裕福《ゆうふく》だったので生活費《せいかつひ》は十分。本を買ったり芝居《しばい》小屋に通ったりしながら、東京の学生生活を楽しんでいた。

卒業後は新聞社に入りたかったのだが、希望はかなわず、東京の銀行に就職《しゅうしょく》。銀行の仕事にやりがいを持てないままに10年ほど過《す》ぎたころ、大阪で新しく設立《せつりつ》される証券会社《しょうけんがいしゃ》に誘《さそ》われたのだ。ところが、大阪に引っ越《こ》してきた矢先に会社設立《かいしゃせつりつ》の話が流れ、途方《とほう》に暮《く》れていたのである。小林一三《こばやしいちぞう》、このとき34歳《さい》。

そんなわけで、小林《こばやし》は「箕面有馬電気軌道《みのおありまでんききどう》」なる会社《かいしゃ》で働き始める。鉄道を開設《かいせつ》する予定の地図を広げてみて、小林《こばやし》は不思議に思った。

「この路線、どうしてこんなへんぴな土地を通ることになってるんだい？」

路線は大阪の主要駅である梅田から、紅葉《こうよう》の名所である箕面《みのお》や有馬温泉《ありまおんせん》などの観光地を結んでいた。しかし、その間のルートはのどかな農村地帯がひたすら長く続く。住民はとても少ない地域《ちいき》だ。

「すでに発展《はってん》している都市部には、国営《こくえい》の鉄道が走ってるからだよ。」

「なるほど。でも、いくら観光地があるとはいえ……住民が少ないと、ふだん利用する人は少ないでしょう。大赤字になりませんかね？」

しかし、社員はやる気なさそうに言った。

「そうかもしれないね。でも、もうルートは変更《へんこう》できないんだ。失敗だとわかったらいずれは廃線《はいせん》になるかもしれないけどな。」

（じょうだんじゃない。そんなことになったら会社《かいしゃ》がつぶれるぞ！）

とりあえず小林《こばやし》は、開通する土地を自分の足で歩いてみることにした。

（確《たし》かに何もない、のどかな土地だ。だけど、こんなところに住むのも悪くないんじゃないか？　不便だけど都心より広々《ひろびろ》として気分がいい。）

そのとき、不意に小林《こばやし》はアイディアを思いついたのである。

当時、だれも考えつかなかった大がかりな事業を展開《てんかい》し――小林《こばやし》は「関西の鉄道王」と呼《よ》ばれるようになったのだ。

小林《こばやし》の大胆《だいたん》なアイディアで、へんぴな土地を走る路線は大成功した。いったいどんな作戦を考えたのだろうか。

解説《かいせつ》

小林一三《こばやしいちぞう》は「住民がいないなら、住民を連れてくればいい。住民を増《ふ》やせば、電車の利用客も増《ふ》える」と考えた。そこで、鉄道の建設《けんせつ》と並行《へいこう》して、駅の近くに住宅《じゅうたく》地《ち》を開発したのである。この鉄道は、現在《げんざい》の阪急電鉄だ。

家はそう気軽に買えるものではないが、小林《こばやし》は「最初に住宅《じゅうたく》の2割《わり》の金額《きんがく》を払《はら》い、その後10年間、毎月一定額《がく》を払《はら》えば家が自分のものになる」というローンの形式を提案《ていあん》する。当時、大阪は人口が増加《ぞうか》しており、住まいを探《さが》している人が多かった。「この方法ならお金がなくても一軒家《いっけんや》が買える」と思った人々《ひとびと》が飛びついたという。

小林《こばやし》はさらに、沿線《えんせん》にレジャー施設《しせつ》など「人が集まる場」をつくった。「宝塚《たからづか》歌《か》劇団《げきだん》」の生みの親でもある。学生時代に芝居《しばい》に夢中《むちゅう》になったことがプラスに働いたといえる。また、鉄道会社が経営《けいえい》する世界初のターミナルデパート「阪急百貨店」を作るなど、「アイディアの天才」と呼《よ》ばれた。

05

不屈《ふくつ》の男

成功↓なぜ？

１８９０年代、アメリカはイリノイ州にて。

高峰譲吉《たかみねじょうきち》は丸焼けになった研究所と工場をながめ、ヘナヘナとひざをついた。

「なんてひどいことをするんだ！　そんなにぼくがじゃまなのか。アメリカから出ていけというのか……。」

譲吉《じょうきち》には、研究所と工場に放火した犯人《はんにん》がだれかわかっていた。この土地のウイスキー職人《しょくにん》たちだ。彼《かれ》らはいきなり日本人がやって来て、米の麹《こうじ》を使ったウイスキーづくりを始めたのが気にいらないのである。

これまでいろいろないやがらせを受けてきたが、昨晩《さくばん》、彼《かれ》らはついに譲吉《じょうきち》を襲撃《しゅうげき》しようと自宅《じたく》にやって来た。あらかじめ警戒《けいかい》していたので地下室にかくれ、妻《つま》のキャロラインと自分の身を守ることはできたのだが――。

「あいつらは、あの後にまっすぐここに来たにちがいない！」

譲吉《じょうきち》はくやしさにくちびるをかみしめていた。


譲吉《じょうきち》の母は、日本酒の造酒屋《つくりざかや》の生まれ。父親は医者である。

幼《おさな》いころから成績優秀《せいせきゆうしゅう》で、満15歳《さい》のとき医学校に進学。26歳《さい》でイギリスの大学に留学《りゅうがく》すると、ウイスキーの醸造《じょうぞう》に興味《きょうみ》を持った。

「ウイスキーは大麦にふくまれるデンプンを麦芽（モルト）の酵素《こうそ》で発酵《はっこう》させてつくるのか。麦芽のかわりに、日本酒の醸造《じょうぞう》に使う麹《こうじ》でウイスキーをつくったらどうなるんだろう。」

麹《こうじ》とは、日本酒やしょうゆ、みそなどの発酵《はっこう》に欠かせない菌《きん》の一種だ。

日本酒の原料である米にはデンプンがふくまれている。蒸《む》したお米に麹《こうじ》を繁殖《はんしょく》させると、麹《こうじ》の働きでデンプンが分解《ぶんかい》されて糖《とう》になる。これをじっくり発酵《はっこう》させると酒ができるのだ。

譲吉《じょうきち》は、麦芽よりも麹《こうじ》のほうが高い発酵力《はっこうりょく》を持つことに気づき、麹《こうじ》をウイスキーに応用《おうよう》することを思いついた。

しかし、日本に帰ってからの譲吉《じょうきち》はいそがしく、ウイスキーづくりのことばかり考えているわけにはいかなかった。官庁《かんちょう》に勤《つと》めて肥料《ひりょう》の研究を行ったことがきっかけとなり、肥料《ひりょう》の会社《かいしゃ》をおこしていたのだ。

それでも、譲吉《じょうきち》は仕事の合間をぬって麹《こうじ》の研究を続けた。そして、麹《こうじ》からデンプンを分解《ぶんかい》する強力な酵素《こうそ》「ジアスターゼ」を発見したのである。

「米のデンプンは、麦よりも質《しつ》が高い。つまり、ジアスターゼを使えばすぐれたアルコール発酵《はっこう》が実現《じつげん》するはずだ。」

譲吉《じょうきち》の発見はアメリカの企業《きぎょう》に注目された。ウイスキー会社《かいしゃ》に招《まね》かれ、妻《つま》とともに意気ようようと海を渡《わた》ったのだが――これからというときになって、研究所と工場が全焼してしまったのだ。

さすがの譲吉《じょうきち》も大きなダメージを受けた。以前わずらった病気が再発《さいはつ》し、2か月も入院しなければならなかったのもショックのせいだったかもしれない。

「元気を出して。またやり直せばいいじゃない。」

やさしくはげましてくれるキャロラインに、譲吉《じょうきち》は力なくほほえみかけた。

「いや、もうおしまいさ。麴《こうじ》ウイスキーのプロジェクトは解散《かいさん》することになったんだ。麦を生産している業者からの強い抗議《こうぎ》もあったらしくてね。」

譲吉《じょうきち》は病床《びょうしょう》で、深いため息をついた。

「でも、せっかく発見したジアスターゼを何にも活用しないのはもったいないわね。」

「うん。ぼくもそれは考えているよ。あれほど強力にデンプンを分解《ぶんかい》できる酵素《こうそ》なんだから、きっとほかにいい使いみちがあると思うんだ。」

譲吉《じょうきち》はスープ皿を取り上げた。アメリカでは病人食といえば、野菜やショートパスタを煮《に》こんだチキンスープがポピュラーなのだ。

栄養いっぱいのスープがのどを通り、胃《い》に落ちていく心地《ここち》よさを感じながら、譲《じょう》吉《きち》はジアスターゼの活用法を考え続けていた。

「譲吉《じょうきち》さん、考えごとはやめて、よくかんで食べなさいよ。消化不良を起こしてしまうわ。」

「あ、そうか……。」

譲吉《じょうきち》の顔にたちまち健康そうな赤みがさしたのは、スープのためだけではなく、いいアイディアが浮《う》かんだためだった。

そして――このジアスターゼはほどなく、譲吉《じょうきち》に巨万《きょまん》の富をもたらすことになる。


譲吉《じょうきち》は「ジアスターゼ」のデンプンを分解《ぶんかい》する働きをほかのものに活用することを考えついた。いったい何を作ったのだろうか。

解《かい》説《せつ》

これは実話をもとにした物語。譲吉《じょうきち》はデンプンを分解《ぶんかい》するすぐれた働きを持つジアスターゼから、消化を助ける胃腸薬《いちょうやく》をつくり出した。「ジアスターゼ」に、自分のみょうじから一文字とって「高」をつけ「タカジアスターゼ」と命名。まだ効果《こうか》的《てき》な胃腸薬《いちょうやく》がなかった時代、タカジアスターゼは強力な消化剤《しょうかざい》として売り出され、飛ぶように売れた。日本だけではなくアメリカでも売れまくり、今も世界中で使われている薬である。

「消化酵素《しょうかこうそ》」についてもう少し解説《かいせつ》しておこう。ご飯をよくかむと甘《あま》みを感じるが、これもデンプンの「分解《ぶんかい》」現象《げんしょう》である。だ液《えき》の中にふくまれる消化酵素《しょうかこうそ》でお米のデンプンが分解《ぶんかい》されて「糖《とう》」に変化しているのだ。

高峰譲吉《たかみねじょうきち》は「アドレナリン」の発見でもよく知られる。アドレナリンはホルモンの一種。「ここぞ!」という気持ちになったとき、心拍数《しんぱくすう》を上げて血流をよくし、心身を激《はげ》しい運動に耐《た》えられる状態《じょうたい》にする働きがある。

06

負けてたまるか

成功↓なぜ？

ときは1927（昭和2）年。

岩波茂雄《いわなみしげお》は、新聞広告《こうこく》をギロリとにらみつけた。視線《しせん》の先には、こんなあおり文句《もんく》がある。

〈毎月1円で1冊《さつ》お届《とど》けします。あなたの家に文学全集をそろえましょう！〉

「この出版社《しゅっぱんしゃ》も『円本《えんぽん》』ブームにのっかりやがったか。」

円本《えんぽん》とは、このころ大流行《だいりゅうこう》した「1冊《さつ》1円」の文学全集のこと。前の年に、改造社《かいぞうしゃ》という出版社《しゅっぱんしゃ》が全巻予約制《ぜんかんよやくせい》の「現代《げんだい》日本文学全集」を売り出すと、予想を超《こ》える大ヒットになった。すると、ほかの出版社《しゅっぱんしゃ》も続々《ぞくぞく》とマネを始めたのである。

昭和初期の物価《ぶっか》は、小学校の教師《きょうし》の1か月の給料が50円程度《ていど》。当時の1円の価値《かち》はカレーライス5杯《はい》分くらいに当たる。

一般庶民《いっぱんしょみん》からすれば1円の本は安いとはいえないが、このころの本はもっと高いのがふつうだった。しかも改造社《かいぞうしゃ》が打ち出した円本《えんぽん》には、人気作家の小説が何作も収《おさ》められていたから、かなりお得《とく》な商品だったわけだ。

茂雄《しげお》は、「岩波書店《いわなみしょてん》」出版社《しゅっぱんしゃ》の社長である。一度は教師《きょうし》になったけれど、「向いていない」と、すぐに退職《たいしょく》。小さな古書店を始め、出版社《しゅっぱんしゃ》をおこしたのはなりゆきのようなものだった。ラッキーにも、すでに売れっ子作家だった夏目漱石《なつめそうせき》の新聞小説『こころ』を刊行《かんこう》してから13年。どうにか出版社《しゅっぱんしゃ》として生き残っていたが、出版《しゅっぱん》業界は不況《ふきょう》にあえいでいた。改造社《かいぞうしゃ》の「円本《えんぽん》」をマネしたくはないが、起死回生のヒットを出したいのはやまやまである。

（1円の本が安いといっても、買えるのは生活によゆうのある一部の人たちだ。読みもしないで、棚《たな》にかざってるだけのヤツも少なくないだろうな。）

仰々《ぎょうぎょう》しく箱に入ったハードカバーの本は、表紙に布《ぬの》が貼《は》られたり、金箔《きんぱく》の文字がほどこされたりと見た目も豪華《ごうか》だ。

（それより「本当に知識《ちしき》を得《え》たい」「学びたい」と思っている貧乏《びんぼう》な学生でも買えるような本が必要なんじゃないか。）

茂雄《しげお》はこの考えを実行に移《うつ》した。岩波書店《いわなみしょてん》から売り出された新しいスタイルの本は、一番安いもので20銭《せん》（1円の5分の1）と画期的に安かった。「こんなに安い本じゃもうからない」と反対する社員もあった。だが、結果的にはたくさんの数が売れ、岩波書店《いわなみしょてん》は日本を代表する出版社《しゅっぱんしゃ》となったのである。

茂雄《しげお》はそれまで日本にはなかったスタイルの本を売り出した。ほかの出版社《しゅっぱんしゃ》も後に続き、今では一般的《いっぱんてき》になっている。そのスタイルとはどんなものだろうか。

解説《かいせつ》

それは「文庫本」である。1927（昭和2）年7月に岩波書店《いわなみしょてん》から刊行《かんこう》された「岩波文庫《いわなみぶんこ》」は日本初の文庫レーベル。今では文庫は当たり前の存在《そんざい》だが、当時は本といえばハードカバーだったのだ。茂雄《しげお》は、外国のペーパーバックという簡易《かんい》な本をモデルに文庫本を計画。ジャンルは小説をはじめ哲学《てつがく》、科学など幅広《はばひろ》く「名作を安い値段《ねだん》で、ポケットに入る手軽なサイズで提供《ていきょう》する」という思いから刊行《かんこう》された。

当初は社員にも「安すぎて赤字になる」と反対されたそうだが、発売後の反響《はんきょう》は大きく、感謝《かんしゃ》やはげましの手紙がたくさん寄《よ》せられたという。

文庫創刊《そうかん》への熱い思いをこめた岩波茂雄《いわなみしげお》の宣言《せんげん》は、現在《げんざい》も岩波文庫《いわなみぶんこ》に掲載《けいさい》されている。「予約制《よやくせい》ではないので（読みたい作品だけを）自由に買うことができる」「本の見た目はともかく、内容《ないよう》は厳選《げんせん》している」という意味の文章からは、「円本《えんぽん》」へのライバル心がうかがえるのだ。

07

最高級の貝

成功↓なぜ？

「あんた、それ持って帰ってきたの？」

リノがポケットから出したカキの殻《から》を見て、ユイナは目を丸くした。

「うん、今日の記念に！　あたしの人生で一番おいしかったんだもん。」

リノは家に帰ってくるなり、仲よしのエミちゃんの誕生会《たんじょうかい》でごちそうになった焼きガキがどんなにおいしかったかを、姉のユイナに語り終えたところだ。

「あたしは大学に入ったばっかのとき、クラスのみんなで焼きガキのお店に食べに行ったたなぁ。」

「なんで教えてくれなかったの⁉　同じカキでも、カキフライとかと全然ちがうじゃん。こんなおいしい食べ物を知らなかったなんて、人生、損《そん》してたよ。」

わすか10歳《さい》の妹がやたらと「人生」という言葉を使うので、ユイナはおかしそうに目を細めた。

「殻《から》つきのカキってそれなりに高いしね。」

「エミちゃんの広島の親せきが送ってくれたんだって。広島はカキの名産地だからこんな大きいのも安く買えるんだって。」

ユイナはサッとスマートホンに指をすべらせる。

「新鮮《しんせん》な殻《から》つきのカキをお取り寄《よ》せで買うとすると――大きいのは1個《こ》500円くらいするよ。あ、こっちのは1個《こ》1000円だって。」

「1個《こ》1000円⁉」

リノはおどけてバタッとソファーに倒《たお》れた。

「ってことは、売る側はすごくもうかるんじゃない？　あたし将来《しょうらい》、カキを売る人になろうかな？　売れ残ったら食べられるし。」

「高級品ってことは育てるのもきっと大変なんだよ。」

こう言ったあとで、ユイナは何事か思いついたようにニヤッと笑う。

「ああ……貝の養殖《ようしょく》で大富豪《だいふごう》になった人、いるね。」

リノは目を輝《かがや》かせて起き上がった。

「どんな貝？　カキじゃなくて？」

「当ててみて。」

リノは目をとじて考え始めた。

「えーと、パエリアにのっかってるやつ？　ムール貝だっけ？」

「はずれ。たしかにムール貝も高いらしいけど。」

「じゃあ、ハマグリ？」

「はずれ。あ〜、ハマグリもおいしいよね。バーベキューのとき食べたよね。」

「これもはずれかぁ。なんだろ。アサリやシジミじゃないよね。ホタテ貝でもない？　ほかに高級な貝って何があったっけ。」

リノは一生けん命に考え、それから自信ありげな笑《え》みを浮《う》かべる。

「今度こそわかった。アワビだ！　テレビで見たけど、本場ではアワビって海女《あま》さんが海にもぐって獲《と》ってくるんでしょ。すごいよね。そりゃ高級だよね。あたし、やっぱ海女《あま》さんになろうかな。めっちゃ新鮮《しんせん》なアワビが食べられるもんね。」

ユイナも獲《と》れたてのアワビを想像《そうぞう》して、思わずゴクリとつばをのみこんだが。

「残念ながら、これもはずれ！」

「ええ～、絶対《ぜったい》アワビだと思ったのに。もうほかに高級な貝なんて知らないよ。なんかヒントちょうだい！」

「じゃ、ヒントね。養殖《ようしょく》のポイントは、特別なものを貝の中に入れること。」

「特別なエサかぁ。なんだろ。高級な貝だから、エサも高級なのかな。エビとかカニとか食べるのかな？」

「今のヒントの続き。エサとは言ってないよ。」

「エサじゃないものを貝の中に入れるの？　わかんないよ。もう降参《こうさん》！」

ユイナはちょっともったいをつけてから口を開く。

「正解《せいかい》は――アコヤ貝でーす！」

「アコヤ貝？　聞いたことないけど、おいしいの？」

「うん……まあふつうくらいにはおいしいらしいよ。」

ユイナの言葉を聞いて、リノはきつねにつままれたような顔になる。

「ふつう？　それを売って大富豪《だいふごう》になったんだよね？」

ユイナは深々《ふかぶか》とうなずいた。


アコヤ貝は「ふつうくらいにはおいしい」程度《ていど》だという。

そんなアコヤ貝の養殖《ようしょく》で大金持ちになった人がいるのはなぜだろうか。

解説《かいせつ》

アコヤ貝は、殻《から》の中で真珠《しんじゅ》を作り出す貝なのだ。殻《から》の中に入りこんだ小さなゴミや石を貝殻《かいがら》成分が包みこんで固まったものが真珠《しんじゅ》である。だが、自然にできるのは千に一つともいわれ、まん丸の真珠《しんじゅ》が形成される確率《かくりつ》も低い。昔から真珠《しんじゅ》は人気が高く、みんなが競って獲《と》るためにアコヤ貝の数が減《へ》っていた。そこで養殖《ようしょく》に取り組んだのが、のちに「世界の真珠王《しんじゅおう》」と呼《よ》ばれる御木本幸吉《みきもとこうきち》だ。

御木本《みきもと》はアコヤ貝に何を入れればきれいな形の真珠《しんじゅ》ができるかを研究し、世界で初めて真珠《しんじゅ》の養殖《ようしょく》に成功した。1899（明治32）年、東京の銀座《ぎんざ》に真珠《しんじゅ》の専門店《せんもんてん》をオープン。質《しつ》の高い真珠《しんじゅ》は評判《ひょうばん》になり、ロンドン、上海《シャンハイ》、ニューヨーク、パリなど次々《つぎつぎ》に支店《してん》を開いていく。発明王・エジソンにも「不可能《ふかのう》といわれた真珠《しんじゅ》の養殖《ようしょく》を成功させたのは世界の驚異《きょうい》」と絶賛《ぜっさん》された。「ミキモト・パール」は今も世界的な真珠《しんじゅ》の一大ブランド。ちなみにアコヤ貝が食べる「エサ」は海中のプランクトンである。真珠《しんじゅ》ができるアコヤ貝、チョウ貝は「真珠貝《しんじゅがい》」とも呼《よ》ばれる。

08 理想の飲み物

成功↓なぜ？


1800年代、アメリカ。

薬剤師《やくざいし》のジョン・ペンバートンが「究極の薬を作る」という大きな目標を抱《いだ》いたのは、医科大学に入学した17歳《さい》のときだった。

大学を卒業すると、ジョンはその夢《ゆめ》に向かってまっすぐ進み始める。

薬局を開き、結婚《けっこん》して子どもが生まれて――幸せを味わいながら、ジョンは薬の研究を続けていた。

だが、順風満帆《じゅんぷうまんぱん》と思われたときに南北戦争が起こる。

兵隊として戦地におもむいたジョンはケガを負った。そして、このケガがきっかけとなって、リューマチ（関節に強い痛《いた》みの起こる病気）になってしまったのだ。

戦後、ジョンは再《ふたた》び薬局を始めたが、運命の神様は彼《かれ》に試練を与《あた》え続ける。なんと彼《かれ》の店は2度も火災《かさい》にあってしまい……そのたびに苦労して生活を立て直し、借金をすべて返済《へんさい》し終えたとき、ジョンは50歳《さい》に近くなっていた。

それでも、彼《かれ》はまだ夢《ゆめ》をあきらめていなかったのである。

このときジョンが構想《こうそう》していたのは、薬というよりは「薬効成分《やっこうせいぶん》のある飲み物」だ。今でいう栄養ドリンクのようなものだろう。

（さわやかでおいしく、元気を与《あた》えてくれる——そんな飲み物を作るんだ！）

ジョンは日々《ひび》、ヒントを探《さが》し求めて歩いた。

外国から港に届《とど》く積み荷を開けてもらっては、知らないスパイスのにおいをかいでみたり、薬効《やっこう》があるといわれる植物からエキスをとってみたり。

そして、行き当たったのが当時話題になっていた「奇跡《きせき》の植物」といわれる植物だ。その植物の葉には、集中力を高めたりする成分があるのだという。

（うん、これはぼくが考えていたイメージにぴったりだ！）

「奇跡《きせき》の植物」のエキスに、カフェインや砂糖《さとう》を配合し——何度も試作を重ね、ジョンが理想の新しい飲料を完成させたのは1886年のことだ。

当初はワイン入りのアルコール飲料だったのだが、このころアメリカではお酒を飲むことに批判《ひはん》が高まっていたので、ワインはのぞくことにした。

（考えてみればこれなら子どもでも飲める。この方がいいな。）


ある日のこと。

ジョンは、この新飲料を出しているソーダ・ファウンテン（清涼飲料水《せいりょういんりょうすい》を出すお店）を訪《たず》ねた。

「やあ、うちの新飲料の売れ行きはどうだい？」

ジョンは、カウンターの向こうの店主に話しかけた。

すると、店主はちょっと頭をかいて言ったのである。

「ジョン！　ちょうどあんたに話したいことがあったんだよ。この間、ちょっと失敗しちまってな。じつは……。」

店主は、ジョンが作ったシロップをグラスに入れた。

「これを頼《たの》んだお客さんが、『この前飲んだときとちがうぞ。改良したのか？』って言うんだ。別に何も変えちゃいない。いつもと同じようにシロップを水で割《わ》って水を入れて出したつもりだったんだけどさ。手元のビンを見て気づいたんだ。」

店主は、ジョンにグラスを差し出しながら言った。

「水じゃなくて、まちがえて炭酸水《たんさんすい》で割《わ》っていたんだ。まあ、味は自分で試してみてくれよ。」


ジョンは、店主が手渡《てわた》してくれたグラスを一口飲み、それからゴクゴクと一気に飲みほした。

「本当だ！　炭酸水《たんさんすい》で割《わ》った方がばつぐんにうまい。これからはどこの店でも炭酸《たんさん》水《すい》で割《わ》ってもらうことにするよ！」

これが本当の意味で、新飲料が完成した瞬間《しゅんかん》だったかもしれない。

この新飲料はまたたく間にアメリカ中に、そして世界中に広まったのである。

ジョンが作り出した飲み物とは何だろうか。

解説《かいせつ》

答えは「コカ・コーラ」。ジョンからコカ・コーラの特許権《とっきょけん》を買い取った企業家《きぎょうか》により、コカ・コーラは全世界的なヒット商品に成長していく。

ジョン・ペンバートンが使った「奇跡《きせき》の植物」とは「コカノキ」だ。コカノキの葉のエキスと、「コラ」の実のカフェインを配合したことから「コカ・コーラ」の名前が生まれた。コカの葉には疲労《ひろう》や痛《いた》みをおさえたり集中力を高める成分があるとされ、南米では昔から薬や茶に使われてきた。１８５０年代にドイツの化学者がコカの葉から「コカイン」という麻薬物質《まやくぶっしつ》を精製《せいせい》すると、広く治療薬《ちりょうやく》に使われた。この「精製《せいせい》されたコカイン」は興奮作用《こうふんさよう》が強く、薬物中毒《やくぶつちゅうどく》を起こす危険《きけん》がある。

ジョンがコカ・コーラを完成させた当時は、コカは薬効成分《やっこうせいぶん》の高い奇跡《きせき》の植物と認識《にんしき》されていたが、麻薬《まやく》のコカインを乱用《らんよう》する人が問題になり始めるとコカは攻撃《こうげき》の対象《たいしょう》になった。そのため１９０３年にコカ・コーラから、コカの成分は取りのぞかれたのである。

09

世界を我《わ》が手に

成功↓なぜ？

のちに「石油王」と呼《よ》ばれ、世界一の大富豪《だいふごう》となるジョン・デビソン・ロックフェラーは、その財産《ざいさん》を一代で築《きず》いた人物である。

ジョンは1839年、アメリカの貧《まず》しい行商人の家に生まれた。高校卒業後、穀《こく》物《もつ》などを販売《はんばい》する会社《かいしゃ》で働いた後、友人のクラークと会社《かいしゃ》をおこしたのは20歳《さい》のときだ。生産者から商品を預《あず》かり、小売店などに届《とど》ける卸売会社《おろしうりがいしゃ》だった。

転機となったのは、この年にドレークという人がアメリカで初めて機械によって原油を採掘《さいくつ》したことだ。当時、石油はエネルギーの中心的な存在《そんざい》ではなかったが、ジョンは石油に注目し、すぐに石油を扱《あつか》うことを決めたのだ。

「やっぱり思った通りだ！」

ジョンのカンは当たっていた。石油産業《さんぎょう》はみるみるうちに急成長をとげていったのだ。この時代はエネルギーといえば石炭だったが、しだいに石油を動力とする機械も開発されるようになっていく。ガソリン（石油製品《せいひん》のひとつ）で動く自動車ができるのはもう少しあとのことだが、ジョンはそれを見越《みこ》していた。

「石油はこれからもっと重要な存在《そんざい》になるはずだ。石油の精製工場《せいせいこうじょう》をもっとたくさん手に入れていこう。」

しかし、クラークはジョンの考えに反対だった。

「事業を大きくすると危険《きけん》も多くなる。慎重《しんちょう》にした方がいいと思うよ。」

意見が割《わ》れ、2人は共同経営《けいえい》を解消《かいしょう》する。このとき、ジョンはクラークが所持していた石油精製工場《せいせいこうじょう》をすべて買い取り、石油事業に本腰《ほんごし》を入れたのだ。

ジョンは順調に業績《ぎょうせき》をのばしていたが、思わぬピンチに立たされる。

1873年――アメリカは大きな不況《ふきょう》に見まわれたのだ。どの業界も売り上げが低迷《ていめい》し、倒産《とうさん》する会社《かいしゃ》は後を絶《た》たない。

クラークは人知れずジョンのことを心配していた。

（ジョンはだいじょうぶかな。特に石油会社は増《ふ》えすぎていたから生き残るのはきびしいだろう。つぶれる前に会社《かいしゃ》をたたんだ人も多いようだが……。）

しかし、ジョンはまったくへこんでいなかった。それどころか、こう考えていたのである。

「不況《ふきょう》でみんなが逃《に》げ腰《ごし》になっている今こそ大チャンスだ。世界の石油ビジネスをぼくの手におさめてやる！」


アメリカを襲《おそ》った大不況《だいふきょう》により、同業の石油会社がつぶれるのをジョンはチャンスととらえた。彼《かれ》がどんな手を打ったか想像《そうぞう》してみてほしい。

解説《かいせつ》

彼《かれ》はここぞとばかりに石油関連の会社《かいしゃ》を安く買い受け、自分の会社《かいしゃ》の傘下《さんか》に入れていったのだ。最終的にはなんと石油市場の9割《わり》を独占《どくせん》してしまう。ほかに競争相手がいないほどの大企業《だいきぎょう》になってしまえば、不況《ふきょう》も関係ない。ただし、石油に関わるもうけをひとりじめする形になったために批判《ひはん》が起こり、アメリカでは初めて、会社《かいしゃ》の吸収合併《きゅうしゅうがっぺい》に制限《せいげん》をもうける法律《ほうりつ》ができた。ジョンがそれまでだれも考えつかなかったアイディアを実行した証拠《しょうこ》といえるだろう。

この後、石油の重要性《じゅうようせい》はさらに増《ま》していき、ジョン・デビソン・ロックフェラーの名は世界中にとどろいていく。ロックフェラー家は、ジョンが亡《な》くなった今もアメリカ最大の財閥《ざいばつ》として世界経済《けいざい》に大きな影響力《えいきょうりょく》を持っている。ちなみにジョンは58歳《さい》で事実上引退《いんたい》したのちは、ばく大な財産《ざいさん》を慈善活動《じぜんかつどう》に役立てた。大不況《だいふきょう》のおりにニューヨークに巨大《きょだい》なロックフェラー・センターを建設《けんせつ》して多くの人に仕事を与《あた》えたこと、慈善団体《じぜんだんたい》「ロックフェラー財団《ざいだん》」の活動などが有名だ。

10

歴史的瞬間《れきしてきしゅんかん》

成功↓なぜ？

ときは１９８９年。

ぐっすり眠《ねむ》っていたトビアスはやかましい電話の音に、うすく目を開けた。暗闇《くらやみ》の中、ベッドのそばの電話に手をのばす。

「おい、トビアス！　たいへんなことが起こったぞ！」

「シュテファン。いったい何があったって言うんだよ……。」

電話の向こうのシュテファンの声は、興奮《こうふん》に満ちていた。

「おまえ、寝《ね》てたんだな。すぐにテレビをつけろ。ベルリンの壁《かべ》がぶっこわされた！」

トビアスがあわててテレビのスイッチを入れると――そこにはツルハシやハンマーをふるう市民の姿《すがた》が映《うつ》し出されていたのだ。

第二次大戦後、ドイツは東ドイツと西ドイツに分割《ぶんかつ》された。1961年には国境《こっきょう》があるベルリンの街に高さ3メートルの壁《かべ》が築《きず》かれた。このころ、東ドイツでは生活環境《かんきょう》の悪化に苦しむ人々《ひとびと》の抗議活動《こうぎかつどう》が盛《さか》んになり、たくさんの人が西ドイツに脱《だっ》出《しゅつ》していたからだ。東ドイツ政府《せいふ》はこれを防《ふせ》ぐために壁《かべ》をつくり、警備員《けいびいん》を配置した。そして、西ドイツとの行き来を禁止《きんし》したのである。

それから30年近くの時がすぎ、自由を求める人々《ひとびと》の抗議運動《こうぎうんどう》は最高潮《さいこうちょう》に達していた。ついに政府側《せいふがわ》も折れ、記者会見で「東ドイツの国民に旅行の自由を許可《きょか》する」と発表したのがこの夜のこと。歓喜《かんき》した市民たちはベルリンの壁《かべ》に殺到《さっとう》し、自分たちの手で壁《かべ》をこわしにかかったのだ。

トビアスは全身の血がわきたつような感動を覚えていた。トビアスが生まれた年につくられた、あの壁《かべ》がなくなる日が来たのだ。

(東ドイツも、西ドイツのように自由で豊《ゆた》かな国に変化するにちがいない。これからはやる気を出してかせいでやる！　チャンスにくらいつくんだ！)

テレビの画面をにらんでいたトビアスはハッとしてとび上がった。

「よし、シュテファン、オレたちも行こう。もうけるチャンスだ！」

「チャンス!?　壁《かべ》がこわされる写真でも撮《と》って売るつもりか？　だったらだいぶ出《で》遅《おく》れたぞ。」

「ちがうちがう、まだ間に合うはずだ。おまえもリュックサックをしょって来い。できるだけ大きいヤツをな！」


トビアスは何かもうけるアイディアを考えついたらしい。それはどんなものか想像《そうぞう》してみてほしい。

解説《かいせつ》

トビアスはシュテファンとともに現場《げんば》にかけつけると、お祭りさわぎをする人々《ひとびと》をかき分けて、壁《かべ》の破片《はへん》を拾い集めたのである。アイディアとは、この歴史的《れきしてき》な記念品を売りさばくことだった。このような記念品をほしがる人は多く、2人はそこのお金をもうけたという。今でも「ベルリンの壁《かべ》の破片《はへん》」はドイツ国内の土産《みやげ》物屋《ものや》をはじめいろいろなところで売られている。ただし、ニセ物も多いらしい。

ベルリンの壁《かべ》がこわされたのは1989年の11月9日。この騒動《そうどう》にはちょっとした裏話《うらばなし》がある。本当は「旅行制限《りょこうせいげん》の自由化を次の日から実施《じっし》する」はずが、記者会見をした政治家《せいじか》がまちがって「今すぐ実施《じっし》する」と言ってしまったのだ。喜《よろこ》んだ人々《ひとびと》は「自由化された」「もう壁《かべ》はいらないんだ」と壁《かべ》をこわし始めた。あまりに大勢《おおぜい》だったので、警備員《けいびいん》たちも止めることができなかったという。

こうして東西ドイツは翌《よく》1990年に再統一《さいとういつ》され、一つの国となったのである。

11

やさしい発明家

失敗↓なぜ？

1850年代なかば、アメリカはニューヨークにて。

「まあ、飲めよ。今夜はオレのおごりだ。」

ビリーは、すっかり疲《つか》れきっている友人のウォルターをいたわるように、やさしく話しかけた。

「ありがとう。オレってのは大金に縁《えん》がないんだな。ダメな男だね。」

ウォルターはおどけた調子で言った。

「ダメなもんか。どっちかっていったらかなり優秀《ゆうしゅう》な人間だ。ただ、金もうけの才《さい》能《のう》がないだけだよ。」

「図星だな。」

ウォルターがほほえんだので、ビリーも笑って口を開く。

「ちょっと前にも、おまえは安全ピンっていうすごい発明をしたじゃないか。」

「ああ、安全ピンな……。」

ウォルターは機械工で、すぐれた発明家でもある。安全ピンに似《に》たものは、大昔からあった。だが、針先《はりさき》が体にふれない安全な仕組みを発明したのはウォルターなのである。針金《はりがね》を曲げてループ状《じょう》にすることでバネの力を持たせ、とがった針先《はりさき》がみぞにおさまるようにした——これが彼《かれ》が考案した安全ピンの仕組みだ。

ウォルターは安全ピンの発明で特許《とっきょ》を取得《しゅとく》した。特許《とっきょ》とは、そうかんたんに取れるものではない。「だれもが思いつくような構造《こうぞう》で『発明』に値《あたい》しない」とみなされれば、特許権《とっきょけん》は与《あた》えられない。

「あのときだって、おまえはその気になればばく大なもうけが出たはずなんだ。なのに、せっかく取った特許権《とっきょけん》をたった400ドル（現在《げんざい》の約100万円）でゆずっちゃうんだからな。」

ウォルターは頭をかいた。

「安全ピンなんて、それほどの発明だと思わなかったんだよ。なにしろ3時間で作ったもんだし。」

そのころ、ウォルターは友人に15ドル（現在《げんざい》の約4万円弱）の借金があった。返済《へんさい》期限《きげん》が近づくが、ふところに余裕《よゆう》がない。急いで何か発明をして、特許《とっきょ》でかせごうと考えた。

そして、わずか3時間ほど針金《はりがね》をいじくり回しているうちに安全ピンを作り出してしまったのである。

「あの特許権《とっきょけん》を手ばなさなければ、今だってあちこちから特許料《とっきょりょう》がガッポリ入ってくるのに。本当におまえは欲《よく》がないんだな。」

ビリーにこう言われて、ウォルターはまゆをひそめた。

「そんなことはないさ。人並《なみ》みに欲《よく》があるから、今回は長々《ながなが》と特許権《とっきょけん》をめぐって裁《さい》判《ばん》で争《あらそ》うことになったんだし。」

ウォルターは、ミシンの特許権《とっきょけん》をめぐる裁判《さいばん》で負けたばかりなのである。

初期型《しょきがた》のミシンはヨーロッパでも開発されていた。人の手を使って、針《はり》で布《ぬの》を縫《ぬ》うのはとても時間がかかる。その作業を機械でやれば、ずいぶん早くできるはず。そんな発想から生まれたミシンだが、初期のものは縫《ぬ》い目がほどけやすい欠点があった。

ウォルターが1833年に考案したミシンは糸を2本使う、縫《ぬ》い目のしっかりしたもの。これは近代ミシンのベースになった発明と考えられている。

だが、ウォルターは特許《とっきょ》を出願しなかった。その後、ウォルターはシンガー社から「ミシンの製作《せいさく》を手伝ってほしい」と言われ、研究に協力する。

ところが、そうしている間にエリアス・ハウという男がミシンの特許《とっきょ》を取得《しゅとく》していたのだ。

シンガー社もミシンを売り出すが、ハウから「シンガー社のミシンは、わたしの特許権《とっきょけん》の侵害《しんがい》にあたる」と訴《うった》えられてしまう。そして、約5年にわたる裁判《さいばん》の結果、ハウが勝ったのである。

「ウォルター。すごく不思議なんだがな。そもそもおまえはシンガー社を手伝う前に――20年近く前にミシンを完成させていたじゃないか。なんでそのときにミシンの特許《とっきょ》を出願しなかったんだ？」

ビリーがたずねると、ウォルターは困《こま》ったような笑いを浮《う》かべた。

「発明は、世の中をよりよくするためのものだ。そのつもりでミシンを作ったけど……これが出回ると不幸になる人もいるだろうと思ったからさ。」

ウォルターはミシンの特許権《とっきょけん》でもうけるチャンスを逃《のが》してしまった。ミシンの特許《とっきょ》を申請《しんせい》することをためらったのは、なぜだったのだろうか。

解説《かいせつ》

ウォルターは「ミシンが広まると、裁縫《さいほう》で生計を立てているたくさんの人たちが仕事をなくしてしまう」ことを心配したのである。これは実話をもとにした話。ウォルター・ハントは安全ピンのほか、石炭を燃料《ねんりょう》とするストーブ、ナイフ研《と》ぎ、人造石《じんぞうせき》など多くの発明を残している。

特許《とっきょ》は、発明を保護《ほご》する制度《せいど》だ。特許《とっきょ》を出願するときびしく審査《しんさ》され、これまでに例がないことはもちろん、産業《さんぎょう》の発展《はってん》に役立つなどと判断《はんだん》されたものが「特許《とっきょ》権《けん》」を与《あた》えられる。

特許《とっきょ》が登録された後は、特許権《とっきょけん》を持っている人だけがその発明を使用できる。発明の内容《ないよう》は公開されるが、特許権《とっきょけん》を持つ人以外はその発明を勝手に使うことはできない。エリアス・ハウに裁判《さいばん》で負けたシンガー社は、ハウに多くの使用料を払《はら》うことになった。ただし特許権《とっきょけん》は原則《げんそく》20年間で消滅《しょうめつ》し、以降《いこう》はだれでも自由に活用できるようになる。

12

お人よしの殿様《とのさま》

成功↓なぜ？

江戸《えど》時代の初めごろのこと。

富山藩《とやまはん》の藩主《はんしゅ》・前田正甫《まえだまさとし》は江戸城《えどじょう》を訪《おとず》れていた。当時、全国各地の大名は一年おきに地元と江戸城《えどじょう》に住む決まりになっていたのだ。

前田《まえだ》公が、各地の藩主《はんしゅ》たちとおしゃべりをしていたとき。

「うっ、いたたたた……。」

三春藩《みはるはん》（今の福島県の一部）の藩主《はんしゅ》・秋田輝季《あきたてるすえ》がいきなりおなかをおさえてうずくまったのである。

「どうされましたか？」

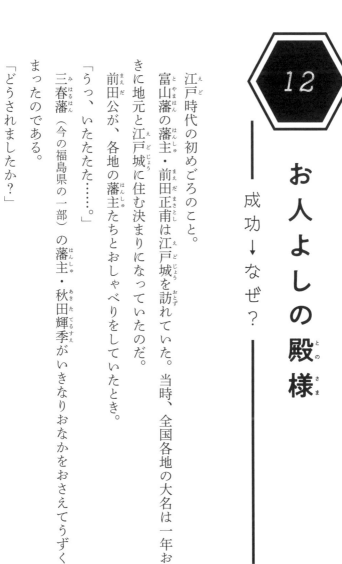

「いや、急に腹《はら》が痛《いた》くなって……。」

かなり激《はげ》しい痛《いた》みなのだろう。秋田《あきた》公は苦しそうに冷や汗《あせ》を流している。

「医者を呼《よ》んだ方がいいのではないかな。」

藩主《はんしゅ》たちは秋田《あきた》公を取り囲《かこ》み、心配そうに見つめるばかりだ。

そのとき、前田《まえだ》公がふところから印籠《いんろう》を取り出した。

「秋田《あきた》公、これをお試しください。」

印籠《いんろう》からコロコロと丸薬《がんやく》が出てくる。

「これはわが藩《はん》の『反魂丹《はんごんたん》』という薬です。わたしが腹痛《はらいた》を起こしたときにもよく効《き》きました。」

「かたじけない。では、いただきます。」

秋田《あきた》公は、前田《まえだ》公が手渡《てわた》した丸薬《がんやく》を急いでのみこんだ。

すると、ほどなく——症状《しょうじょう》はピタリと治まったのである。

「こんなに早く効《き》くとはすごい薬だ！　本当に助かりました。」

秋田《あきた》公ばかりではなく、この場で一部始終を見ていた藩主《はんしゅ》たちも目をみはった。

「すばらしい薬ですね。この薬をうちの藩《はん》に売りに来てくれませんか。」

「うちの藩《はん》にもお願いします。」

みんなにこう言われ、前田《まえだ》公は大喜《おおよろこ》びで引き受けたのである。


前田《まえだ》公はさっそく「反魂丹《はんごんたん》」を全国的に売り出すための準備《じゅんび》を始めた。

行商に出かけていく薬売りには体がじょうぶでまじめな者を選び、薬について正しく説明できるように指導《しどう》した。

だが、前田《まえだ》公の側近は心配でもあった。

前田《まえだ》公が提案《ていあん》した反魂丹《はんごんたん》の値段《ねだん》が安すぎるように思えたのだ。

おそるおそるそう言ってみたけれど、前田《まえだ》公は「薬は人の役に立つものだから、高額《こうがく》にするべきではない」と、ゆずらない。

(せっかくもうかるチャンスなのに、藩主殿《はんしゅどの》は人がよすぎるなぁ。)

側近はため息をついた。

そして、再《ふたた》び前田《まえだ》公に意見することにしたのだ。

「殿《との》、もう一度、値段《ねだん》を考え直してはいかがでしょうか。各藩《かくはん》の藩主《はんしゅ》が推薦《すいせん》してくれたとしても、よその土地の商人が売りにきた薬が飛ぶように売れるとは思えません。庶民《しょみん》はお金のよゆうがないし、すぐに使わない薬をいざというときのために買っておく人は少ないのでは？」

「そうだろうな。各地に行く者たちには、まずしい人に無理に売りつけるようなことをしてはいけないと言ってある。」

側近は、すっかりあきれてしまった。話がかみ合わないにもほどがある。

「遠方への長旅ですから、宿泊費《しゅくはくひ》などの費用《ひよう》もかかるんですよ。売れなかったら大赤字じゃないですか。」

「病気を治すのが先で、利益《りえき》は後でいい。使ってもらえば反魂丹《はんごんたん》のよさは伝わるんだ。あせらなくても、じきによく売れるようになるはずだ。」

そう言ったとき、前田《まえだ》公はふとひらめいたのだ。

「そうだ。使ってもらえばわかる。うん、この商売はきっと成功する。」

前田《まえだ》公の「病気を治すのが先、利益《りえき》は後で」という信念から、ある画期的な販売《はんばい》方法が生まれた。そして、「富山《とやま》の薬売り」は大成功をおさめたのだ。

「富山《とやま》の薬売り」が始めた「病気を治すのが先、利益《りえき》は後で」にもとづく画期的な販売《はんばい》方法とはどんなものだろうか。

解《かい》説《せつ》

これは実際《じっさい》にあったことをもとにした話。前田《まえだ》公の信念から生まれた販売《はんばい》方法とは「置き薬」というスタイルだ。薬売りは家を回って、薬を預《あず》ける。反魂丹《はんごんたん》だけではなく、いろいろな種類の薬を置いていくが、そのときはお金はとらない。後日、また訪《おとず》れて「使った分だけ」の料金を払《はら》ってもらうシステムなのだ。これなら断《ことわ》るお客さんは少ないし、役に立てば感謝《かんしゃ》もされる。薬売りは半年に一度ほど、お得意《とくい》様の家を訪《おとず》れたそうだ。使った薬の量や種類、効《き》き目、さらに家族の健康状態《じょうたい》などを聞き取ったメモは「顧客管理《こきゃくかんり》データベース」のさきがけだ。情報《じょうほう》をもとに次に行くときにおすすめの薬を持っていけば、さらに売り上げものびる。たびたび訪問《ほうもん》することでお客さんとの信頼《しんらい》関係も強くなったという。

江戸《えど》時代に考え出された「置き薬」システムが成功したおかげで、富山《とやま》県は今も「薬の街」であり続けている。品質《ひんしつ》の良いもの、良いサービスが歓迎《かんげい》された結果である。

13

海に沈《しず》んだ財宝《ざいほう》

成功↓なぜ？


1985年、アメリカ。

メル・フィッシャーの目の前には、山と積まれた財宝《ざいほう》が光り輝《かがや》いていた。

その光景は、彼《かれ》が幼《おさな》いころにあこがれ、何度もくり返し読んだ小説『宝島《たからじま》』のさし絵のようだ。

数えきれないほどの金貨と銀貨。みごとなエメラルドに金や銀の美しい工芸品。

「夢《ゆめ》じゃない。ついにこの日が訪《おとず》れたんだ……。」

メル・フィッシャーは、トレジャー・ハンター（宝探《たからさが》しを行う人）だ。趣味《しゅみ》ではなく、海中の宝探《たからさが》しを専門《せんもん》とするプロである。

ダイビングの名手であるメルは、かつてはダイビングショップを経営《けいえい》していた。20年ほど前にトレジャー・ハンターのワグナー氏に頼《たの》まれ、1715年に沈没《ちんぼつ》した船の捜索《そうさく》に参加したことが転身のきっかけだ。世界中に多くのトレジャー・ハンターがいるのは、それだけあちこちに財宝《ざいほう》が眠《ねむ》っている証拠《しょうこ》である。それが陸の土の中なら事情《じじょう》があって埋《う》められた「埋蔵金《まいぞうきん》」。海にもお宝《たから》はいっぱいある。財宝《ざいほう》を積んだまま沈没《ちんぼつ》した船がたくさんあると語り伝えられているのだ。

メルがねらったのは、1622年に沈没《ちんぼつ》したスペインのアトーチャ号という船である。大航海時代《だいこうかいじだい》——ヨーロッパ人に発見され「新世界」と呼《よ》ばれた南アメリカからたくさんの財宝《ざいほう》を積んで母国に帰るとちゅう、アトーチャ号は激《はげ》しいハリケーンに見まわれた。そして、サンゴ礁《しょう》にぶつかり、沈没《ちんぼつ》してしまったという。

メルは優秀《ゆうしゅう》なダイバーと費用《ひよう》を貸《か》してくれるスポンサーを集めてこの大仕事に取り組んだ。

「船が沈《しず》んだのはこの辺り」とわかっていても、そうかんたんに見つかるものではない。なにしろ何百年も、だれも見つけられなかったのだ。メルたちは金属探知機《きんぞくたんちき》を手に深海にもぐり、海中の区画を一か所ずつ探《さが》し続ける地道で危険《きけん》な作業をくり返したあげく、17年目にアトーチャ号を見つけたのである。

こうしてメルは約4億ドル（当時の日本円で約900億円）の価値《かち》の財宝《ざいほう》を手に入れたのだが――手ばなしで喜《よろこ》べない心配ごともあった。

じつは、フロリダ州が「アトーチャ号が沈《しず》んでいるのはわが州に属《ぞく》する海域《かいいき》だから、財宝《ざいほう》はフロリダ州のものである」と言い出したのだ。

「じょうだんじゃない！　オレたちはそこらへんに落ちてるものを拾ったんじゃない。長い年月をかけて、巨額《きょがく》の借金をして――命がけで財宝《ざいほう》を見つけたんだ。」

メル・フィッシャーは、15世紀《せいき》のスペイン船の財宝《ざいほう》をアメリカのフロリダ沖で発見した。この財宝《ざいほう》を所有する権利《けんり》はだれにあるのだろうか。

解説《かいせつ》

この件《けん》は裁判《さいばん》にかけられた。財宝《ざいほう》は「拾得物《しゅうとくぶつ》」と判断《はんだん》されたが、裁判所《さいばんしょ》はメルに有利な判決《はんけつ》をくだした。最終的に、メル・フィッシャーはフロリダ州に財宝《ざいほう》の2割《わり》をおさめるということで結着したという。

それにしても、17年もあきらめずにお宝《たから》を探《さが》し続けるのはなみたいていのことではない。メルは日々《ひび》「今日が（発見する）その日だ」と口にし、仲間をふるい立たせたそうだ。

メルがおこしたトレジャー・ハンター集団《しゅうだん》「メル・フィッシャー社」は、メルの死後も海中の宝探《たからさが》しビジネスを継続《けいぞく》中。現在《げんざい》はメルの孫が指揮《しき》をとっている。海底に眠《ねむ》る財宝船《ざいほうせん》はまだまだあるといわれる。海中を探索《たんさく》する機器や技術《ぎじゅつ》の進化も手伝って、21世紀《せいき》に入ってからも世界各地でお宝《たから》が発見されているのだ。

14

竹やぶから小判《こばん》

発見↓なぜ？

2000年代はじめのこと。

「はぁ、あの竹やぶはたしかにうちの土地でした。それが何か？」

Z《ゼット》氏は、めんどうくさそうに電話に応対《おうたい》した。相手は、国のなんとかという係の人だと名乗った。用件《ようけん》は、Z《ゼット》氏が2年前に国に売った土地のことだという。

（何の用だろう。まさか、あそこから死体でも出たんじゃないだろうな。）

電話の相手が告《つ》げたのはそんなぶっそうな話ではなかったが——。

その瞬間《しゅんかん》、Z《ゼット》氏は驚《おどろ》きのあまり腰《こし》をぬかしそうになったのである。

「え、小判《こばん》？　竹やぶから小判《こばん》が出たんですか!?」

国がZ氏《ゼット》から土地を買い上げたのは、ある施設《しせつ》を建てるためである。竹やぶだった土地を整え、いよいよ建設《けんせつ》工事が始まったとき。

「なんだ、こりゃ？」

作業員たちが土の中から掘《ほ》り出したのは、高さ40センチほどのかめだった。開けてみると、小判《こばん》や金貨がぎっしりつまっていたのである。江戸《えど》時代の小判《こばん》に、四角い金貨や銀貨、明治時代初期の10円金貨などで、合計1295枚《まい》もあったという。

じつは、Z氏《ゼット》には心当たりがあった。Z氏《ゼット》の先祖《せんぞ》は、広い土地を持つ裕福《ゆうふく》な農家だった。「どこかに古銭《こせん》を埋《う》めたらしい」と聞いて、Z氏《ゼット》は所有している土地を適《てき》当《とう》に掘《ほ》り返してみたことがある。

「いやぁ、まさかあの竹やぶに埋《う》まっていたとは思いませんでしたよ。」

Z氏《ゼット》はこみあげる喜《よろこ》びをかくせず、上きげんな声を出す。

だが、相手はすまなそうに言ったのだ。

「申し訳《わけ》ないのですが……あの土地は、現在《げんざい》は国の持ち物です。ですから、見つかった小判《こばん》は国のものになります。」

「えっ!? でも、あの土地は先祖代々《せんぞだいだい》引き継《つ》がれてきた土地なんですよ。」

「もし、その証拠《しょうこ》があれば、小判《こばん》はおわたしできるのですが……。」

Z《ゼット》氏は電話を切ったあと、考えこんだ。

（こんな幸運を逃《のが》してなるか！　小判《こばん》が埋《う》められたときにうちの先祖《せんぞ》がこの土地を持っていたことを、絶対《ぜったい》に証明《しょうめい》してみせる！）


埋蔵金《まいぞうきん》が埋《う》められたとき、Z《ゼット》氏の先祖《せんぞ》がこの土地の持ち主だったことを証明《しょうめい》することは可能《かのう》だろうか。それには何が必要か想像《そうぞう》してみてほしい。

解説《かいせつ》

この話は実話をもとにしたもの。金貨に「明治六年」ときざまれていたのを頼《たよ》りに、Z《ゼット》氏は当時の古地図を調べ、先祖《せんぞ》の蔵《くら》がそこにあったことを証明《しょうめい》できたのである。埋《う》めたのがZ《ゼット》氏の先祖《せんぞ》だとはっきりしたので、埋蔵金《まいぞうきん》はZ《ゼット》氏のものになった。

江戸《えど》時代や明治時代につくられた古地図は国土交通省のウェブサイトで見ることができる。また、地域《ちいき》の郷土《きょうど》資料館《しりょうかん》や図書館などに収蔵《しゅうぞう》されている場合もある。

わが国では埋蔵金《まいぞうきん》を発見した場合、「拾得物《しゅうとくぶつ》」と同じ扱《あつか》いになるので7日以内に警察《けいさつ》に届《とど》け出なくてはならない。もし、見つけたのが他人の土地なら、土地の持ち主と分け合うことに。土地の持ち主が6か月以内に見つからなければ、発見者のものになる。ただし、「徳川家《とくがわけ》の埋蔵金《まいぞうきん》」などの場合は「文化的な価値《かち》が高い重要な資料《しりょう》」とみなされ、発見者のものにならない可能性《かのうせい》が高い。謝礼金《しゃれいきん》くらいはもらえるかもしれないが。このケースでは見つかった金貨などがそれほど珍《めずら》しくないものだったので、すんなりと発見者の元にわたったという。

15

目利《めき》きの盲点《もうてん》

失敗→なぜ？

お、今日は2着売れた。合計5万5000円か。ありがとうございますっ！

オレはスマホの画面に向かって軽く頭を下げた。本業もショップ店員だから、これはクセみたいなもんだ。

オレは「ディアードム」というブランドのショップ店員だ。ディアードムは80年代にデザイナー・堂田道太郎《どうだみちたろう》が立ち上げたブランドだ。国際的《こくさいてき》に有名なデザイナーで、今もカリスマ的な人気がある。50〜60代のお客さんも多いが、芸術的《げいじゅつてき》っていうか、ちょっと変わった服が好きなファッション・マニアの若者《わかもの》にもファンが多い。

オレもその口で——だからこそファッションの専門《せんもん》学校を卒業して、就職先《しゅうしょくさき》にディアードムを選んだわけ。社員になれば割引《わりびき》があって、ディアードムの服を少しは安く買えるから。そう、ディアードムの服はめちゃめちゃ高いんだ。シャツでも4〜5万円はふつう。ジャケットなら最低でも10万円はする。

2年前、勤《つと》め始めたばかりのころ。オレは、社会人になるタイミングで一人暮《ひとりぐ》らしを始めたのを後悔《こうかい》していた。高級ブランドだろうがなんだろうが、入社したてのショップ店員の給料は安くて、たちまち生活費《せいかつひ》に困《こま》ってしまったから。

で、オレは——しかたなく、自分が持っているディアードムのジャケットとパンツをフリマアプリに出してみた。そしたら予想以上の早さで売れたんだよね。金に困《こま》ったらこの手を使おうと思ったが、自分の服はあまり手放したくない。

そんなとき、オレはフリマアプリでディアードムの服をだいぶ安く売っているのを見つけた。「たった1万円？　この人わかってないな。この服ならもっと高くても、絶対《ぜったい》買う人いるのに」と思って——ひらめいたんだよね。

それからというもの、オレはフリマアプリや古着屋で「これは！」と思うディアードムの服を買い集め始めた。それに自分なりの値《ね》をつけてフリマアプリに出すと、けっこうもうかる。オレのもくろみは大当たり。2年間でざっと200万円くらい売り上げがあったんだ。

こういうふうにフリマアプリで中古品を売るのは、みんなやってるだろ？ だから、警察《けいさつ》から連絡《れんらく》が来てびっくりしてるんだけど——オレは罪《つみ》に問われているらしい。もちろん高く売ったのが悪いわけではないらしいが……正直、困惑《こんわく》しているよ！

主人公はだれでも利用できるフリマアプリで買い集めた中古品を売っただけである。これは法にふれる行為《こうい》なのだろうか。

解説《かいせつ》

　これは実際《じっさい》にあった事件《じけん》をもとにした話。このケースで主人公が罪《つみ》に問われたのは、主人公の行動が「営業《えいぎょう》（＝商売）」活動とみなされたから。「営業《えいぎょう》」で中古品を販売《はんばい》する場合は、リサイクルショップと同じように「古物営業《えいぎょう》」の許可《きょか》を得《え》なければならなかったのだ。

　では、どういう場合が「営業《えいぎょう》」とみなされるのか。明確《めいかく》な線引きはないが、ポイントは「何度もくり返し」「長期間継続《けいぞく》して」中古品を仕入れては売っていたことだ。

　たまたまフリマアプリで安く買ったものを高値《たかね》で転売しても、とがめられることはない。だが、あきらかに「仕入れては売る」をくり返すと「商売」と認識《にんしき》されるのである。主人公は「古物営業《えいぎょう》」を無許可《むきょか》で行った罪《つみ》に問われ、罰金《ばっきん》を払《はら》うことになったという。また、フリマアプリでの販売《はんばい》を「商売」とする場合は、売り上げに対して発生する税金《ぜいきん》を納《おさ》めなければならなくなる。

16 いかさま店主

失敗→なぜ？

１９６０年代、アメリカにて。

ダグラスは事務室《じむしつ》で帳簿《ちょうぼ》をまとめていた。ダグラスは半年ほど前からスーパーマーケットを経営《けいえい》している。食料品から日用雑貨《ざっか》までいろいろなものを置いており、周囲《しゅうい》にライバル店がないので売り上げはまずまずだ。

チェーン店なので、毎週売り上げをまとめて本社に報告《ほうこく》しなければいけないのがめんどうだが、レジという機械が発達したおかげでずいぶん助かっていた。青果や肉などの品目が管理でき、どんな商品がどのくらい売れたか一目でわかるのも便利だ。

しかし、ダグラスは早くも仕事にあき始めていた。

(売り上げは安定しているけど、なんていうかこの仕事はおもしろみに欠けるね。)

そんなある日のこと。

「あ、ちょっと。お客さん、待ってください！」

ダグラスは、買い物袋《ぶくろ》をさげて帰ろうとする女性客《じょせいきゃく》を呼《よ》びとめた。それから、レジ係のシリルの方を向き、レジ台のはじっこに残っている卵《たまご》のパックを示《しめ》した。

「シリル、卵《たまご》を入れ忘《わす》れてるじゃないか。」

「あら、ありがとう。」

女性客《じょせいきゃく》は卵《たまご》のパックをサッと袋《ふくろ》に入れるとさっさと店を出ていく。

すると、レジ係のシリルがダグラスのそばにかけ寄《よ》った。

「店長。今のお客さん、卵《たまご》は買わなかったですよ。卵《たまご》を買ったのは前のお客さんです。すみません、ぼくが入れ忘《わす》れたんですが。」

「なんだって？　じゃあ、今のお客は卵《たまご》を盗《ぬす》んだことになるじゃねえか。」

「はい。もとはといえばぼくのミスのせいですけどね……。」

ダグラスはシリルの肩《かた》をたたいた。

「まあ、ほかのお客が金を払《はら》ったんなら、うちの損《そん》にならないからいいよ。」

「卵《たまご》を入れ忘《わす》れたお客さんから苦情《くじょう》がくるかもしれません。そのときは卵《たまご》の代金を、ぼくの給料から引いてください。」

「かたいこと言うな。めんどうくさいから知らん顔しとけ。」

そのとき、このふまじめな店主はちょっとした詐欺《さぎ》を思いついたのである。


ねらいは、大量にまとめ買いをするタイプのお客だった。車でやって来て、1週間分くらいの食料を買いこんでいく客はめずらしくない。大家族なら買い物はそれこそ山のような量になる。

ダグラスは、あらかじめレジ台の横に2ドル（当時の日本円で700円くらい）のほうきを1本立てかけておく。

そして、シリルに会計をするとき、ほうきの代金を加えてレジを打つように指示《しじ》をした。

「もし、客がレシートを確認《かくにん》して文句《もんく》を言ってきたら、今気づいたような顔でこう言うんだ。『すみません、このほうきもお客さんがお買いになったと思ったんです』ってな。」

「わかりました。」

シリルは、ズルの分け前をもらうことを条件《じょうけん》に、店主の作戦に協力することにしたのである。


ダグラスはバレないような工夫もおこたらなかった。

シリルがレジを打つ間、ダグラスはお客さんに「今日はいい天気ですね」とか「その牛肉はお買い得《どく》ですよ」などと、話しかけて気をそらしたのだ。

しかし、ねらいのつけ方がよかったのか、文句《もんく》を言ってくるお客は一人もいなかった。一度に大量の買い物をするタイプのお客は、2ドルくらいのまちがいには気づきにくいらしい。

ダグラスはとちゅうから、ほうきのかわりに同じくらいの値段《ねだん》のタバコに切りかえた。ダグラスは喫煙者《きつえんしゃ》なので、お客からお金をかすめとるのと同時に、自分のこづかいの節約になって一石二鳥だと思ったのだ。

「店長、タバコの在庫《ざいこ》がなくなりそうですよ。」

シリルが目配せをしたので、ダグラスはシリルのジーンズのポケットに紙幣《しへい》を何枚《まい》かつっこんだ。

「わかった。すぐに注文しておく。」

何か月かたっても相変わらずお客からの苦情《くじょう》はなかった。

だが――やがて、ダグラスの悪事はバレてしまったのである。


ダグラスの悪事はなぜバレたのだろうか。

解説《かいせつ》

レジの記録を通じて、売れた物のデータはチェーンの本部に報告《ほうこく》される。本部では、ダグラスの店がほかのチェーン店とくらべてきょくたんにタバコの売り上げが多いのを不審《ふしん》に思い、調べることにしたのだ。ダグラスは店の経営《けいえい》の権利《けんり》を失い、逮捕《たいほ》された。シリルも共犯者《きょうはんしゃ》として罰《ばつ》を受けた。

これはアメリカで起こった実話をモデルにした話。こんなふうに意図的にインチキをする店はまずないだろうが、ミスはありうる。買い物をしたらレシートを確認《かくにん》することを習慣《しゅうかん》づけよう。

17

ぐうぜんの産物

成功↓なぜ？

２００２年、スイス。

「なんだと。温水が出たって⁉」

X《エックス》氏は、部下の報告《ほうこく》に目を丸くした。部下が言うには、アルプスの山々《やまやま》を縦断《じゅうだん》する鉄道トンネルの建設現場《けんせつげんば》で温泉《おんせん》を掘《ほ》り当ててしまったのだという。スイスは国土のほとんどが山脈《さんみゃく》で、温泉地《おんせんち》は多い。だが、これは歓迎《かんげい》すべきことではなかった。

「よりによってトンネル建設地《けんせつち》に出るとは困《こま》ったなぁ。」

「水温は18～22度程度《ていど》ですから温泉《おんせん》というよりは温水ですね。排出《はいしゅつ》量はかなり多くて、毎秒１５０～２００リットルの温水が出ているので、どうしたものかと。」

「管を引いて川に流せばいいじゃないか」

「専門家《せんもんか》に聞いてみたんですが、20度もある温水を川に流すと、川の生態系《せいたいけい》をこわす危険性《きけんせい》が高いそうです。」

川の水温が上がると、これまで川にすんでいた生物が死んでしまう可能性《かのうせい》があるという。

（水温を下げる設備《せつび》を作るとなると、だいぶお金がかかるだろうな。そんな予算はないんだが……。）

X《エックス》氏はわらをもつかむ思いで、さまざまな分野の専門家《せんもんか》に相談した。

すると、「この件《けん》はぜひわが社におまかせください」という人物が現《あらわ》れたのだ。

その人物――F《エフ》氏は、X《エックス》氏に会うなりこんなことをたずねた。

「ところであなたは、キャビアは好きですか？」

「キャビア？　ええ、大好物ですよ！」

X《エックス》氏はごくりとつばを飲みこむ。キャビアとはチョウザメの卵《たまご》を加工したもの。世界三大珍味《ちんみ》のひとつといわれる高級品だ。スイスではキャビアは作られていないが、スイス人はキャビアが大好きだ。しかし、近年チョウザメは絶滅《ぜつめつ》の危機《きき》にある。スイスは世界有数のキャビアの輸入《ゆにゅう》国なのだが、近年は輸入《ゆにゅう》量が制限《せいげん》されていた。

「それはよかった。ちなみにバナナは？　マンゴーは？　パパイヤは？」

「はぁ……好きな方ですが。」

「よかった。このプロジェクトはきっと成功しますよ。」

F《エフ》氏は自信ありげにほほえんだ。彼《かれ》の提案《ていあん》は、「雪山の国」のイメージが強いスイスに新しい産業《さんぎょう》をもたらすことになる。

F《エフ》氏はどんな計画を持ちかけたのだろうか。

解説《かいせつ》

F《エフ》氏の計画は、温水を使って「チョウザメの養殖《ようしょく》場」と「熱帯植物園」をつくることだった。約20度の水温は、じつはチョウザメの生育に最適《さいてき》な環境《かんきょう》なのだという。2009年、この地に「トロッペンハウス（熱帯の家）」という施設《しせつ》がオープンした。巨大《きょだい》な温室の中の水そうではチョウザメが飼育《しいく》され、バナナやマンゴー、パパイヤなども栽培《さいばい》されている。施設《しせつ》内にはメスのチョウザメから得《え》られた卵《たまご》を加工するキャビアの製造《せいぞう》工場も。ここで生産された「アルプス・キャビア」は、キャビアが大好きなスイス人たちを喜《よろこ》ばせている。

設備《せつび》を作るお金はかかったが、天然の温水が有効《ゆうこう》活用できる上に新しいビジネスの収益《しゅうえき》が入るという万々歳《ばんばんざい》の結果となった。

また、スキーシーズン以外に地域《ちいき》の人々《ひとびと》が働ける場ができたことも、地元ではおおいに歓迎《かんげい》されたのだ。

18

最終局面

危機《きき》↓対処《たいしょ》？

「そんなたいへんなことになってたのか。早く相談してくれればよかったのに。」

ミツヤのやさしい言葉に、オレは涙《なみだ》が出そうになった。

「ありがとう。心強いよ。夜おそくに押《お》しかけてすまないな。」

思い出してもゾッとする。ほんの1時間前——自分のアパートに帰ってきたオレは、暗闇《くらやみ》の中で足を止めた。オレの部屋《へや》のドアをガンガンたたきながら「いないんですか⁉」と、どなっている男がいたから。こういう場面はマンガやドラマで見たことがあった。ついに借金取りが家までやって来た！

それで、オレは高校からの親友であるミツヤの家まで走ってきたんだ。

最初はすぐに返せると思ったんだ。消費者金融《しょうひしゃきんゆう》で20万円を借りたのは1年前。会社《かいしゃ》の先輩《せんぱい》とうまくいかなくて仕事をやめ、生活費《せいかつひ》に困《こま》ったからだ。なかなか新しい勤《つと》め先が決まらず、アルバイトで食いつないだけど収入《しゅうにゅう》はだいぶ減《へ》った。

借金を返せないでいるうちに利子がかさみ、返済額《へんさいがく》は増《ふ》えていく。一部でも返そうと、ほかの消費者金融《しょうひしゃきんゆう》でお金を借りたのがまちがいだった。そのときは「ほかの消費者金融《しょうひしゃきんゆう》から借りればいいのか」って——「あっちから借りて、こっちに返す」をくり返していればそのうち返せると思った。甘《あま》かったね。

「借金総額《そうがく》は150万円。新しい勤《つと》め先の給料は月16万円。生活費《せいかつひ》はどんなに切り詰《つ》めても月10万円。毎月の返済額《へんさいがく》は10万円。貯金《ちょきん》はなし。完全に泥沼《どろぬま》だ。」

ミツヤに全部話してしまうと少しスッキリした。

ミツヤは温かいシチューを出してくれながら言う。

「まあ、こんなときは体にやさしいものを食べてよく休むことだ。今夜は早く寝《ね》よう。健康が大事だ。体が資本《しほん》だからな。」

精神的《せいしんてき》に疲《つか》れたせいか、オレは横になるとすぐ眠《ねむ》りに落ちたらしい。夜中にふと目が覚めたとき。ミツヤは暗がりの中でスマホをながめていた。そして、オレが起きたのに気づいたのか、それともひとりごとか――こうつぶやいたんだ。

「ふーん。150万円なら、たぶん一発で帳消しにできるんじゃないか……。」

そんな方法があるか？　あったとしても、まともな方法じゃないのでは？

ふと、ミツヤの「体が資本《しほん》」という言葉が思い浮《う》かんだ。

オレにはもう売り払《はら》えるものはひとつも残ってないが、まさか……？

オレはおそろしくなって、ふとんの中で動けずにいた。


ミツヤは「150万円の借金を帳消しにできる方法がある」と言う。本当だろうか。

解説《かいせつ》

主人公はマンガで読んだ「臓器《ぞうき》売買」を思い浮《う》かべたが、翌朝《よくあさ》、ミツヤが教えてくれたのは「自己破産《じこはさん》」手続きをすることだ。多額《たがく》の借金を返す方法がない人は、破産《はさん》を申請《しんせい》できる。認《みと》められると借金は帳消しになるのだ。借金がいくら以上なら申請《しんせい》できるという決まりはないが、主人公のように貯金《ちょきん》もなく、赤字が増《ふ》え続けて返済《へんさい》の見通しが立たない場合、ほぼ認《みと》められる。ただし借金の理由がギャンブルなどの場合は認《みと》められない。手続きは複雑《ふくざつ》なので弁護士《べんごし》などに依頼《いらい》するのがふつうだ。費用《ひよう》はかかるが、たいていは分割払《ぶんかつばら》いにしてもらえるようだ。

「借金がゼロになるなんてラッキー」と軽く考えてはいけない。自己破産《じこはさん》は最後の手段《しゅだん》であり、デメリットもある。財産価値《ざいさんかち》があるものを差し押《お》さえられたり、数年ほどはクレジットカードが使えなくなる。記録が残るので、将来《しょうらい》に影響《えいきょう》をおよぼす可能性《かのうせい》もある。でも、借金取りに追い回されるストレスはなくなるのだ。主人公はミツヤの助けを得《え》て自己破産《じこはさん》を申請《しんせい》。二度と借金はしないと誓《ちか》った。

19

遺《い》産《さん》の使いみち

遺《い》産《さん》↓なぜ？

アルフレッド・ノーベルの遺言書《ゆいごんしょ》は、親せきたちをざわつかせた。

「おかしいな。もっとたくさんの遺産《いさん》をもらえるはずなんだけど。アルフレッドおじさんから直接《ちょくせつ》聞いたことがあるし……。」

「その後、遺言書《ゆいごんしょ》は書き換《か》えられたわけだ。署名《しょめい》によれば、1年前にね。」

世界的な科学者、アルフレッド・ノーベル博士《はかせ》は1896年にその生涯《しょうがい》を終えた。

その遺産《いさん》は約3300万クローネ（クローネは当時のスウェーデンの通貨。現在《げんざい》の価値《かち》の日本円に換算《かんさん》すると約250億円）。それをそっくり親族で分けると思っていたのに

――アルフレッドは死の1年前に気が変わったらしい。

新しい遺言書《ゆいごんしょ》によれば、親族の取り分は全部で100万クローネ（約7億円）に減《へ》らされていたのだ。

アルフレッド・ノーベルの功績《こうせき》といえば、ニトログリセリンを利用してダイナマイトを発明したことだ。ニトログリセリンはちょっと衝撃《しょうげき》を与《あた》えただけで爆発《ばくはつ》する危険《きけん》な化学物質《ぶっしつ》だが、アルフレッドは液状《えきじょう》のニトログリセリンを珪藻土《けいそうど》（吸水力《きゅうすいりょく》の高い素材《そざい》）にしみこませ、扱《あつか》いやすい固体に加工した。こうして彼《かれ》は安全に持ち運べるダイナマイトを作り出したのだ。すさまじい爆発力《ばくはつりょく》を持つダイナマイトは土木や採掘現場《さいくつげんば》などで利用され、あっという間に世界に広まり――アルフレッドは億万長者になった。たいへんな売れ行きの裏《うら》には、ダイナマイトが戦争に使われたという事情《じじょう》もあったのだが。

しかし、55歳《さい》のとき、事件《じけん》が起こる。アルフレッドの兄が亡《な》くなったのを、アルフレッドが死んだとかんちがいして報道《ほうどう》した新聞があったのだ。新聞には「『死の商人』アルフレッド・ノーベル死す」「戦争の武器《ぶき》となったダイナマイトで財産《ざいさん》を築《きず》いた男」と書かれていたのである。

アルフレッドは大きなショックを受けた。

「わたしは世の中からこんなふうに思われていたのか！」

この数年後、アルフレッドはひそかに遺言書《ゆいごんしょ》を書き換《か》えたのである。


「しかし、おじさんは残りの遺産《いさん》をどうするつもりなんだ？」

ノーベルの遺族《いぞく》たちを前に、遺言書《ゆいごんしょ》をあずかった代理人は封筒《ふうとう》を取り出した。

「その使いみちは、もう一通の遺言書《ゆいごんしょ》に書かれています。」


アルフレッド・ノーベルは莫大《ばくだい》な財産《ざいさん》を残して亡《な》くなった。なぜ遺言書《ゆいごんしょ》を書き換《か》え、親族の相続分を減《へ》らしたのか。残りの遺産《いさん》の使いみちは何だったのだろうか。

解説《かいせつ》

アルフレッド・ノーベルの遺言書《ゆいごんしょ》には、世界をよくすることに努めた人を評価《ひょうか》する「ノーベル賞《しょう》の創設《そうせつ》」、残りの遺産《いさん》をノーベル賞《しょう》の賞金《しょうきん》にあてることが指示《しじ》されていた。ノーベル賞《しょう》は物理学賞《ぶつりがくしょう》、化学賞《かがくしょう》、生理学《せいりがく》・医学賞《しょう》、文学賞《ぶんがくしょう》、平和賞《へいわしょう》の5分野。平和賞《へいわしょう》をつくったのは「ダイナマイトで得《え》た財産《ざいさん》を世界平和に生かしたい」という思いからだと考えられている。ノーベルの死後、1900年にノーベル財団《ざいだん》が設立《せつりつ》され、次の年から授賞《じゅしょう》が開始された。賞金《しょうきん》は日本円で約1～2億円（1つの賞《しょう》で複数《ふくすう》の受賞者《じゅしょうしゃ》がいる場合は分割《ぶんかつ》）。この金額《きんがく》は「もし20年間収入《しゅうにゅう》がなくても研究を続けていけるくらい」という考えから設定《せってい》されているそうだ。それにしても、賞金《しょうきん》がすべて個人《こじん》の財産《ざいさん》でまかなわれているとは驚《おどろ》き。100年以上続いているのに資金《しきん》がつきないのは、ノーベル財団《ざいだん》が遺産《いさん》を株式投資《かぶしきとうし》などで運用し、増《ふ》やしているためだ。1969年に追加された「ノーベル経済学賞《けいざいがくしょう》」はノーベルの遺言《ゆいごん》にはない賞《しょう》で、この賞金《しょうきん》はスウェーデン国立銀行が出している。

20

ベストセラー作家の憂鬱《ゆううつ》

失敗→なぜ？

別にオレは小説家を目指してたわけじゃない。

高校生のとき、まわりに小説家やマンガ家を目指してる友だちが多くてさ。そいつらの作品を読んでるうちに、オレもマネして何か書いてみたくなったんだ。あくまで遊びで。

大学に入ってからは、もうさっぱり書かなくなったよね。授業《じゅぎょう》とかバイトとかほかの遊びでいそがしくなったからさ。

高校時代に書いた長編《ちょうへん》小説をウェブサイトにアップしたのは、ちょっとしたきっかけからだった。3年になって、同級生のカワイさんと話してたら……彼女《かのじょ》が「シマダくんの書いた小説読んでみたい」って言うから、当時まあまあ仲間うちでウケがよかったヤツを公開してみたんだよ。

そしたら、彼女《かのじょ》が「おもしろかった」って言ってくれた。社交辞令かと思ったけど、SNS《エスエヌエス》で紹介《しょうかい》してくれたりして。カワイさんは顔が広いもんだから、けっこういろんな人が読んだみたいで——。

ある日突然《とつぜん》、A《エー》出版《しゅっぱん》の人から連絡《れんらく》があったんだ。

「この小説をうちの会社《かいしゃ》から出版《しゅっぱん》しませんか?」って。

最初はオレも疑《うたが》ったよね。実は出版費用《しゅっぱんひよう》を払《はら》わされるんじゃないかと。

でも、そんなことはなかった。

それどころか原稿料《げんこうりょう》を50万円もくれるっていう!

そんなにもらっていいのかな。

売れるとは思えないけど。

あとで「金を返せ」なんて言われないだろうな？

そうこうするうちに、オレの異世界《いせかい》ファンタジー長編《ちょうへん》『カメとクジラの宝箱《たからばこ》』は本当に出版《しゅっぱん》されてしまった。

でも、近所の本屋にも置いてなかったし……まぁ、そんなもんだよね、本っていっぱい出版《しゅっぱん》されてるんだしと思ってたら。

こういうの、「追い風」っていうのかな。

発売から3週間後。有名なアイドルがラジオでオレの本を紹介《しょうかい》してくれたんだって。「感動した」とかって。

それから、『カメとクジラの宝箱《たからばこ》』は急激《きゅうげき》に売れ出したんだ。

編集者《へんしゅうしゃ》さんから興奮《こうふん》した様子で電話がかかってきて「重版《じゅうはん》がかかりました！」って言われても「重版《じゅうはん》って……ああ、本をいっぱい刷ることか！」くらいにしか思わなくて。最初は3000部刷ったんだよね。それが1万部、5万部になり。夏休み前に出た本が、夏休み明けには10万部に達していた。

オレはちょっとした有名人になった。

大学に行くと「あの人が……」とうわさされ、ときには「サインください」と言ってくる子もいた。

よく言われるようになったのは「だいぶもうかったでしょ？」というセリフだ。オレとしちゃ、遊びで書いた小説で50万円ももらえるなんて意外だったから「うん、まあね」と返事しといたんだけど。

もっとつっこんだ言い方をしてくるヤツもいてさ。

あんまりしゃべったこともないヤツに「おごれよ」って言われて断《ことわ》ったら、「ケチくさいなぁ」って言われたのは腹立《はらた》ったたな。

なんなんだよ、いったい。

みんな、急に金の話を持ち出すようになってさ。

金のことばっか考えるのはイヤだったけど――あんまりみんながいろいろ言ってくるから、さすがに調べてみたんだよ。重版《じゅうはん》っていうもののことを。

それで、わかった。

オレはどうやらチャンスを逃《のが》したらしいんだな。

『カメとクジラの宝箱《たからばこ》』はそれからも売れ続けた。

この先も「だいぶもうかったでしょ？」と言われ続けるのは——自分のマヌケさをつつかれるようでちょっときついなぁ。


主人公は、最初に原稿料《げんこうりょう》として50万円を受け取っている。それ以上のお金を受け取れる可能性《かのうせい》はあるのだろうか。

解《かい》説《せつ》

「本が売れれば売れるほど作者はもうかる」と思っている人は多い。まちがいではないが、それは出版社《しゅっぱんしゃ》が作者と「印税契約《いんぜいけいやく》」を結んでいる場合の話。印税《いんぜい》とは、出版社《しゅっぱんしゃ》が作者に払《はら》う「著作権《ちょさくけん》使用料」だ。印税《いんぜい》10％《パーセント》で契約《けいやく》した場合、本の値段《ねだん》が1000円なら、作者の取り分は1冊《さつ》につき100円。10万部売れれば1000万円の印税《いんぜい》が支払《しはら》われる計算だ。だが、印税契約《いんぜいけいやく》は必須《ひっす》ではない。このケースでは、出版社《しゅっぱんしゃ》は主人公に原稿《げんこう》の「買取契約《けいやく》」として50万円を支払《しはら》い、印税契約《いんぜいけいやく》は結ばなかった。だから、以後はいくら売れても主人公には1円も入らないのである。

　実際《じっさい》のケースでは昭和50年代に大ヒットした『およげ！たいやきくん』を歌った歌手が「歌唱印税《いんぜい》」を結んでおらず、「買取契約《けいやく》」で5万円をもらったのみだったという話がある。この楽曲の売り上げは450万枚《まい》以上といわれる。後日、ヒットのお祝い金が贈《おく》られたそうだが「1％《パーセント》でも歌唱印税《いんぜい》を申し出ていたら」と思わずにいられない。後悔《こうかい》しないためにも、契約内容《けいやくないよう》はしっかり確認《かくにん》しよう！

21

奇跡《きせき》の復刻《ふっこく》

財産《ざいさん》↓なぜ？

世の中、何が起こるかわからないもんだ。

オレのひいひいおじいちゃんが小説家だったたって話は聞いたことがあった。本業は雑貨屋《ざっかや》さんだったんだけどね。何冊《さつ》か本が出版《しゅっぱん》されたけど、全然売れなかったそうだ。「石川全然」なんてペンネームが悪かったんじゃないか。

ところが、明治時代や大正時代の文学マニアの有名人がテレビで「石川全然の『巨人《きょじん》の神様』がおもしろい！」と紹介《しょうかい》したのをきっかけに話題になって——そのマイナーな小説が復刻《ふっこく》されることになったたんだ。

いろんな出版社《しゅっぱんしゃ》が続々《ぞくぞく》と、それぞれに『巨人《きょじん》の神様』を出版《しゅっぱん》した。A出版《エーしゅっぱん》から出た単行本の表紙は、おどろおどろしい化け物みたいな巨人《きょじん》の顔のアップのイラスト。K出版《ケーしゅっぱん》の本の表紙は、大人気のマンガ家が描《か》いている。そうそう、この小説を原作にしたマンガの連載《れんさい》も始まったんだ。

ついでに石川全然のほかの小説も「幻《まぼろし》の作家、奇跡《きせき》の復活《ふっかつ》！」なんてアオリ文句《もんく》をつけられて本屋に並《なら》んでいる。

「石川全然って、どんな人だったの？」

オレは、じいちゃんに聞いてみた。石川全然は１８９９（明治32）年生まれで、亡《な》くなったのは１９５０（昭和25）年。じいちゃんが生まれたときにはもうこの世にいなかったそうだけど、何か知ってることがあるかなと思ってさ。

「いやぁ、オレだって身内に小説家がいるなんて大人になるまで知らなかったよ。親からは雑貨屋《ざっかや》だって聞いてたし。こんなにさわがれる時代が来るなんて本人も思わなかっただろうな。せめて、墓参《はかまい》りに行って報告《ほうこく》してあげないと。」

そのとき、オレはハッと気づいたんだ。書いた本人は全然もうからなかったとしても——今、これだけいろんな出版社《しゅっぱんしゃ》から本が出てるんだ。印税《いんぜい》っていうのが、孫であるじいちゃんに相当入ってるんじゃないのか？

現在《げんざい》、石川全然に一番近い血縁者《けつえんしゃ》はじいちゃんだから。

しかし、じいちゃんは「そんなの入ってないよ」って言うんだ。

「もうかってる」って言うと、オレがこづかいをねだると思ってとぼけてるのか？

さらにしつこく聞くと、じいちゃんは苦笑いをして言ったんだ。

「本当だよ。まあ……もっと早くこんなブームが起こってたら、と思わないでもないけどな。」

「ひいひいおじいちゃん」の小説が売れた印税《いんぜい》は子孫には入らないのだろうか。ヒントは主人公のおじいちゃんの言葉にある。

解《かい》説《せつ》

小説や音楽（作詞《さくし》・作曲）、写真や絵画などの著作物《ちょさくぶつ》には「著作権《ちょさくけん》」がある。「著《ちょ》作物《さくぶつ》をほかの人に勝手に利用されない」権利《けんり》で、創作《そうさく》した人がその権利《けんり》を持つ。出《しゅっ》版社《ぱんしゃ》から本が刊行《かんこう》されるときは、著作権《ちょさくけん》使用料（印税《いんぜい》）が支払《しはら》われる。この権利《けんり》は、遺産《いさん》として相続人に引きつがれる。つまり、主人公の想像《そうぞう》は正しかったのだが、「著作権《ちょさくけん》」にはタイムリミットがある。著作権《ちょさくけん》は、著作者《ちょさくしゃ》の死後70年で消滅《しょうめつ》する。それ以降《いこう》は著作権《ちょさくけん》は保護《ほご》されず、出版社《しゅっぱんしゃ》は使用料を払《はら》わなくても自由に著作物《ちょさくぶつ》を活用できるのだ。夏目漱石《なつめそうせき》や芥川龍之介《あくたがわりゅうのすけ》など有名な文豪《ぶんごう》の作品がウェブ上で無料公開されているのも、このルールに則《のっと》っている。

著作権《ちょさくけん》の保護《ほご》期間は、以前は50年だった。２０１８年に法律《ほうりつ》が変わり、70年に期間延長《えんちょう》された。だが、「50年間ルール」時代に保護《ほご》期間が消滅《しょうめつ》した著作物《ちょさくぶつ》については、この改正は適用《てきよう》されない。石川全然（架空《かくう》の作家）は１９５０年に亡《な》くなっているので、２０００年以降《いこう》はどんなに作品が売れても印税《いんぜい》は発生しないのだ。

22

父の遺産《いさん》

遺《い》産《さん》↓なぜ？

呼《よ》び出し音が5回鳴ってもエリが電話に出ないので、切ろうかなと思ったとき。

「もしもし。」

聞きなれた声が耳に飛びこんできたのでホッとした。

「どう？　お父さんのお葬式《そうしき》、無事に終わった？」

「うん、ありがとう。だいじょうぶだよ。お葬式《そうしき》って言っても、あたしのほかにだれもいないし。形式的なことをやっただけだからね。」

本当は、オレもお葬式《そうしき》に行くべきだったんだ。会ったことはないけど、オレにとっても義理《ぎり》のお父さんなんだから。だけど、オレは海外出張中《しゅっちょうちゅう》で……。

ほかに親せきはいないそうだし、何もかも一人でやるのはたいへんだっただろう。

エリはお父さんのことをきらっていた。エリのお父さんはかなりハジけた人だったそうだ。ハデなことが好きで金づかいが荒《あら》く、借金取りが家に来たこともあったという。エリのお母さんが亡《な》くなって以降《いこう》はさらに気ままに暮《く》らし、どこに住んでいるのかもわからなくなったらしい。音信不通になって10年以上がたち――突然《とつぜん》に、遠くの病院からお父さんが亡《な》くなったと電話がかかってきたのである。


帰国して家に帰ると、エリは書類を広げて難《むずか》しい顔をしていた。

「あとは遺産《いさん》相続の問題を片《かた》づけなきゃならないんだ。」

お父さんは都心のマンション、避暑地《ひしょち》の別荘《べっそう》、外車を持っていた。ほかに血縁者《けつえんしゃ》がいないので、すべての相続権《そうぞくけん》はエリにあるという。

「全部もらえるの？　すごいじゃないか！」

オレは思わず歓喜《かんき》の声を上げたが、エリはつんとすまして「見栄っ張《ば》りな人だったからね」とだけ言った。きっと、手ばなしで喜《よろこ》べない感情《かんじょう》があるんだろう。

そして、次の日。エリはびっくりするようなことを言ったのである。

「お父さんの遺産《いさん》だけどね、全部『相続放棄《ほうき》』したから。」

「相続放棄《ほうき》って？　何ももらわないっていってこと？」

ええ、もったいない。いくらお父さんのことがきらいでも――そうだな、マンションくらいもらってもよかったんじゃないか？

そう言うと、エリはピシャリと言い放ったんだ。

「危《あぶ》ないところだったよ。遺産《いさん》相続して損《そん》するなんてばかげてるもん。」


エリによれば「遺産《いさん》相続をすると損《そん》をする」という。そんなことがあり得《う》るのだろうか。

あり得《う》る。お父さんは高額《こうがく》な借金をかかえていたのである。

相続する遺産《いさん》には2種類がある。お金（貯金《ちょきん》や現金《げんきん》）のほか、不動産（土地やマンション）など価値《かち》のあるものは「プラスの財産《ざいさん》」。そして、借金や、まだお金を払《はら》い終わっていないローン（分割払《ぶんかつばら》い）などを「マイナスの財産《ざいさん》」という。遺産《いさん》相続をする人は、この両方の財産《ざいさん》を受け取ることになる。「プラスの財産《ざいさん》」だけもらうというわけにはいかないのだ。お父さんはたしかに高額《こうがく》な財産《ざいさん》を所持していたが、それらを売り払《はら》っても「マイナスの財産《ざいさん》」を返済《へんさい》できないなら、相続するだけ損《そん》だ。

相続放棄《ほうき》をした場合、遺産《いさん》は、次の順位の相続権《そうぞくけん》のある人のところへ回る。このケースのように、ほかに権利《けんり》のある人がいなければ、相続財産《ざいさん》管理人（ほとんどの場合は国が選んだ弁護士《べんごし》）が財産《ざいさん》の後しまつを担当《たんとう》することになる。

23

売ってはいけない

禁止《きんし》↓なぜ？

今から450年ほど昔のこと。

現在《げんざい》のアメリカがまだ「アメリカ合衆国《がっしゅうこく》」ではなく、ヨーロッパ人が発見した「新大陸」だったころ。

スペインとポルトガルの人々《ひとびと》は、アメリカ大陸の各地を自分の国の植民地として、せっせと開発を進めていた。彼《かれ》らにとって南米の土地はとても魅力的《みりょくてき》であった。スペイン人は南米の地で金や銀をたくさん発掘《はっくつ》し、たいへんな財産《ざいさん》を得《え》た。また、広大な土地にサトウキビやタバコ、綿花《めんか》などの大規模《だいきぼ》な農園をつくったのである。ここで栽培《さいばい》した大量のサトウキビを原料に砂糖《さとう》をつくり、各国に輸出《ゆしゅつ》するという筋書《すじが》きがあった。

スペイン人は、この西インド諸島《しょとう》（コロンブスが当初、アメリカ大陸をインドとまちがえたためにつけた名前）の先住民たちを安く働かせていた。

といっても、先住民たちは自分から希望してやとわれたわけではない。スペイン人たちは勝手に乗りこんできて農園をつくり、そこに住んでいた人たちを休みなく働かせていたのである。きちんとした契約《けいやく》があるわけでもない。給料もはらわない。ただ、最低限《さいていげん》の食事だけを与《あた》え、こき使っていたのだ。

過酷《かこく》な労働を強《し》いられ、命を落とす先住民たちは多かった。

しかも、先住民たちはさらなる悲劇《ひげき》に見まわれた。

母国とこの土地を行ったり来たりしていたスペイン人が、ヨーロッパで流行《りゅうこう》していた天然痘《てんねんとう》のウイルスを持ちこんだのである。先住民たちは、天然痘《てんねんとう》に対してまったく免疫《めんえき》を持ち合わせていなかったので次々《つぎつぎ》に感染《かんせん》し、たくさんの人が亡《な》くなってしまう。

「困《こま》ったな。」

スペイン人の農園主はため息をついた。先住民たちを心配して言ったのではない。働き手が減《へ》って農園がダメになってしまうのが心配なのだ。

「何か、急いで手を打たないと……。」

スペイン人たちは額《ひたい》を集めて話し合った。

そして、ほどなく——スペインから西インド諸島《しょとう》を目指して帆船《はんせん》が出航《しゅっこう》した。

大農園を維持《いじ》するためにスペイン人たちが急いで買い取ったのは——今では考えられない、絶対《ぜったい》に売り買いをしてはならないものであった。

絶対《ぜったい》に売り買いをしてはならないものとは何だろうか。

解説《かいせつ》

答えは「人間」である。スペイン人が体力のある労働者を求めた結果、アフリカから黒人奴隷《どれい》が連れてこられたのだ。黒人奴隷《どれい》を集めてスペインに売ったのは主にポルトガル人。そのポルトガル人に黒人奴隷《どれい》を売ったのは、同じアフリカの黒人だった。奴隷貿易《どれいぼうえき》のためにアフリカ大陸から連れてこられた人々《ひとびと》は、奴隷制度《どれいせいど》が廃止《はいし》される19世紀《せいき》までの約300年間で、1200万人あまりと考えられている。アメリカで奴隷制度《どれいせいど》が廃止《はいし》された後も、多くの黒人差別が残された。

かつて奴隷《どれい》売買や、奴隷制度《どれいせいど》は世界各地にあった。日本でも戦国時代のころ、日本人奴隷《どれい》を外国に輸出《ゆしゅつ》していた記録がある。人間が人間を売買するという罪《つみ》を多くの人が犯《おか》していたわけだ。わたしたちの周囲《しゅうい》でも人間の権利《けんり》を奪《うば》うような行動をしている人はいないか目配りしたり、また、自分が買っているものにはどんな背景《はいけい》があるのかをしっかりと考える必要がある。

24

子どもの仕返し

成功→なぜ？

ときは1841年、フランス領《りょう》レユニオン島にて。

農園主のベリエはグアバの木の下に立つと、枝《えだ》にからまるバニラのつるにさわってみた。

「この株《かぶ》だけなんだよな。バニラがこんなに実をつけているのは……。」

ベリエはグアバの木を支柱《しちゅう》にして、つる植物のバニラを育てていた。バニラはうすいグリーンのきれいな花を咲《さ》かせるが、花は1日で枯《か》れてしまう。うまくいけば、豆のさやのような形の実をつけるが、それはとても珍《めずら》しい。

ふつうは1株《かぶ》のバニラから1つか2つバニラビーンズが獲《と》れればいい方だ。なのに、1株《かぶ》だけ鈴《すず》なりに実っているのが、ベリエは不思議でたまらない。

「おーい、エドモン！　近くにいるんだろう⁉」

ベリエが大声を上げると草むらがガサガサと鳴り、エドモンがおびえたように顔を出した。

「ベリエさん、今日はぼく、なんのいたずらもしてないですよ。」

エドモンはこの農園で働いている12歳《さい》の少年だ。なかなかのいたずらっ子で、しょっちゅう何かやらかしてはベリエにどなられている。エドモンはベリエに怒《おこ》られると必ずこの木にスルスル登っていき、彼《かれ》の怒《いか》りがおさまるのを待つのだ。

「そうか？　ちょっと聞きたいんだが……おまえ、この木によく登るだろう？　このバニラに何かしてないか？」

ベリエがにじり寄《よ》ると、エドモンは顔をひきつらせた。

「ご……ごめんなさいっ！」

「エドモン、何をやったか正直に言いなさい。」

「ベリエさんに怒《おこ》られたのがくやしくて……。ベリエさんが大事にしてるのを知ってたから、この花をかたっぱしからにぎりつぶしてやったんです。」

エドモンはこう告白《こくはく》すると、走って逃《に》げていった。

「あ、待ちなさい！」

（この子はもしかして、すごいことをやらかしたのかもしれないぞ。）

ベリエの想像《そうぞう》は当たっていた。わずか12歳《さい》の少年のいたずらは、末長くこの島の収入《しゅうにゅう》を支《ささ》えることになるのを――この時点ではだれも知らなかった。

「エドモンのしたこと」は、すばらしい発明として結実した。それはいったいどんなことだろうか。

解説《かいせつ》

エドモンが花をにぎりつぶしたために花のメシベにオシベの花粉《かふん》がくっつき、うまく受粉《じゅふん》できたのだ。エドモンが登った木にまきついていたバニラだけが、たくさん実をつけたのはそういうわけ。バニラは花の構造上《こうぞうじょう》、自家受粉《じゅふん》しにくいが、当時、人工的な受粉《じゅふん》方法は発見されていなかったのだ。正確《せいかく》には少し前にこれに気づいていた学者がいたが、まったく一般《いっぱん》には広まらなかった。ベリエはこれを自分でも試し、周囲《しゅうい》に広めたのである。これは実話をもとにアレンジした話。

ベリエは発明者であるエドモンの権利《けんり》を守ろうと努力したが、奴隷《どれい》の身分だったエドモンが富や名声を得《え》ることはなかった。しかし、現在《げんざい》もレユニオン島はバニラの一大産地であり続けている。

バニラの実は、豆のさやのように細長い。これを熟成《じゅくせい》させると、あの甘《あま》いバニラの香りを放つ種子ができる。天然のバニラは高価《こうか》なので、身近なお菓子《かし》に使われるのは合成のバニラ香料が多いそうだ。

25

三度目の正直

成功↓なぜ？

1909（明治42）年、東京。

自分で焼き上げた今川焼《いまがわや》きを、やけにまじめな顔つきで口に運んでいる男が一人。

（ふつうにうまいと思うけどなぁ。）

今川焼《いまがわや》きは、小麦粉《こむぎこ》で作った皮であんこをはさんで焼いた、丸い形のお菓子《かし》である。地域《ちいき》によっては回転焼き、大判焼《おおばんや》きなどとも呼《よ》ばれる。

今川焼《いまがわや》きをぱくついている男――神戸清次郎《かんべせいじろう》は、大阪の銀行家の息子である。

自力でのしあがってやろうと東京にやって来て、ひとまず今川焼《いまがわや》き屋を始めたのだがさっぱり売れない。

（よく今川焼《いまがわや》き屋を見かけるから「これは売れる」と思ったけど甘《あま》かったな。甘《あま》いのはあんこだけで十分だっての！）

清次郎《せいじろう》は自分にツッコミを入れ、頭をコツンとたたいた。

（何かすぐにできる工夫はないかな。）

そこで、清次郎《せいじろう》が試みたのは、亀《かめ》の甲《こう》の形の「亀焼《かめや》き」にすることだ。材料や作り方は今川焼《いまがわや》きとまったく同じである。

（一から新しいお菓子《かし》を考えるのはたいへんだからな。デザインを変えただけで売れることはある！）

ところが、これも失敗に終わった。

じつは亀焼《かめや》きは、何年か前に流行《りゅうこう》していて、今さら目新しくもなかったのである。

（やれやれ。「鶴《つる》は千年、亀《かめ》は万年」って言うし、縁起《えんぎ》がいいからウケると思ったんだけど、もう流行《りゅうこう》おくれだったとはね。おめでたい動物は好まれるから……いっそ「鶴焼《つる》き」はどうだ？　いや、鶴《つる》の形は難《むずか》しすぎるか。）

こう思いながら――清次郎《せいじろう》の頭にふと新しいデザインが浮《う》かんだ。

（ふむ……もう一回だけ試してみるか。「三度目の正直」って言葉もある。）

そして、ついに清次郎《せいじろう》は成功をおさめた。

清次郎《せいじろう》の店には行列ができ、新商品は飛ぶように売れ——清次郎《せいじろう》はめでたくお金持ちの仲間入りをしたのである。

清次郎《せいじろう》が作った新商品は、今も日本中で愛されている。ズバリどんなものだったのだろうか。

解説《かいせつ》

清次郎《せいじろう》が作った新商品は、「たい焼き」だ。魚のタイは、「めでたい」という言葉に通じ、縁起物《えんぎもの》とされている。また、タイは高級な魚で庶民《しょみん》はめったに食べることができなかったこともあり、たい焼きは人気を博したと考えられている。神戸清次郎《かんべせいじろう》が創業《そうぎょう》した「浪花家総本店《なにわやそうほんてん》」は現在《げんざい》も東京の港区にあり、元祖《がんそ》「たい焼き」の店として知られる。

ただし、清次郎《せいじろう》が歴史上初《れきしじょう》めてたい焼きを作った人物かどうかは諸説《しょせつ》ある。江戸《えど》時代にも、魚の形の型《かた》で焼いたものがあったという記録が残っているそうだ。

その後、1929（昭和4）年にドイツの巨大《きょだい》飛行船「ツェッペリン号」が日本を訪《おとず》れた際《さい》には「ツェッペリン焼き」が、野球人気が高まるとボールの形の「ホームラン焼き」が登場するなど、さまざまな「○○焼き」が人気を集めた。現在《げんざい》にいたるまで、形も中身も多彩《たさい》なバリエーションが生まれているが、永遠《えいえん》の定番となった「たい焼き」を広めた清次郎《せいじろう》の功績《こうせき》は大きいといえるだろう。

26

今すぐ社長に

成功↓なぜ？

「フリーランス？　ウェブデザイナー？　チャラチャラしてそうだけどちゃんと収《しゅう》入《にゅう》あるの？　貯金《ちょきん》は？　そんな男との結婚《けっこん》は許《ゆる》さん！」

マヒロのお父さんはオレを横目で見て冷たく言い放った。

「お父さん、失礼だよ。なんてこと言うの!?」

マヒロはあわてたように言う。マヒロのお父さんがオレたちの結婚《けっこん》にいい顔をしてないとは聞いていたが……ここまで言われるとは。

オレだってマヒロのお父さんの気持ちはわからないでもない。正直なところ収入《しゅうにゅう》は不安定だし、貯金《ちょきん》は１００万そこそこだ。

「まあお父さんが許《ゆる》そうが許《ゆる》すまいが、あたしには関係ないけどね。」

マヒロが言うと、お父さんは顔に青すじを立てる。

「なんだと！　親子の縁《えん》を切るっていうのか⁉」

ずいぶん大ごとになってきたので、オレは2人の間に入る。

「マヒロ、そう言うなよ。オレだってマヒロの家族とは仲よくしたいんだから。」

「じゃあ、タイシはあたしと結婚《けっこん》できなくてもいいって言うの⁉」

なぜかマヒロの怒《いか》りはオレに向いてしまった。

お父さんはここぞとばかりにイヤミっぽい調子で言う。

「マヒロのお姉ちゃんは社長と結婚《けっこん》したんですよ。姉妹でそこまで差がつくなんて、親としちゃ見ていられないしね。親せきにも顔が立たないですよ。」

なるほど。お父さんの言い分はわかった。お父さんは、ともかく肩書《かたが》きにこだわる人なんだ。

「つまり、お父さんは『社長』なら娘《むすめ》の結婚《けっこん》相手にふさわしいと思うわけですね。じゃあ、オレが社長になればお父さんも文句《もんく》ありませんね？」

お父さんは目をパチパチさせた。

「あんた、名刺《めいし》にただ『社長』って印刷すればいいと思ってないか？」

「まさか。会社《かいしゃ》のつくり方くらいは知ってます。」

マヒロはあわててオレを部屋《へや》のすみに引っぱっていった。

「会社《かいしゃ》をつくるなんて出まかせ言っても解決《かいけつ》しないよ。タイシ、貯金《ちょきん》なんてそんなにないじゃん？」

オレは胸《むね》をはった。

「うん、ない。でも、１円あれば会社《かいしゃ》はつくれるからね。」


主人公は「１円あれば会社《かいしゃ》はつくれる」と言う。本当だろうか。

解説《かいせつ》

本当だ。かつては、株式会社《かぶしきがいしゃ》は資本金《しほんきん》１０００万円以上が必要だったが、２００６（平成18）年に法律《ほうりつ》が変わり、資本金《しほんきん》１円、代表取締役《だいひょうとりしまりやく》１人でも会社《かいしゃ》がつくれるようになった。資本金《しほんきん》とは、会社《かいしゃ》を始めるときの事業用の資金《しきん》。代表取締役《だいひょうとりしまりやく》とは、会社《かいしゃ》の経営《けいえい》の最高責任者《せきにんしゃ》だ。「社長」が「代表取締役《だいひょうとりしまりやく》」を兼《か》ねて「代表取締役《だいひょうとりしまりやく》社長」を名乗るケースは多い。

「資本金《しほんきん》１円」で会社《かいしゃ》はつくれるが、株式会社《かぶしきがいしゃ》を設立《せつりつ》するとなると平均《へいきん》20〜25万円くらいは費用《ひよう》がかかる。主人公の場合、これから店舗《てんぽ》を開いたり事務所《じむしょ》を借りたりする必要はないにしても——意地の問題だけでわざわざ会社《かいしゃ》をつくるのはいかがなものか？　でも、税金《ぜいきん》が安くなるなど、メリットはちゃんとある。最大のメリットは社会的信用度が上がること。

資本金《しほんきん》１円で社長となった主人公は意識《いしき》が変わったためか態度《たいど》がしっかりし、結《けっ》婚話《こんばなし》はスムーズに進んだそうだ。肩書《かたが》きが人を成長させることもあるのだ。

27

夢《ゆめ》を走るジェットコースター

成功↓なぜ？

「あの、モリオカさんですよね？」

ろうかで呼《よ》びかけられたモリオカ氏がクルリとふり返ると、自分より一回りは若《わか》い社員たちの一団《いちだん》がニコニコしていた。

先頭に立っていた女性《じょせい》社員が自己紹介《じこしょうかい》をする。

「わたしたち、『ハリー・ポッター』プロジェクトのメンバーなんです。こんなすばらしい仕事を担当《たんとう》できるなんて……発案者だというモリオカさんにお礼を言いたくて、つい呼《よ》びとめてしまいました。」

「ああ、声をかけてくれてありがとう。」

「この企画《きかく》、最初にモリオカさんが提案《ていあん》した会議では、みんな反対したそうですね。実現《じつげん》することになって本当にうれしいです。」

「そう言ってもらえてぼくもうれしいよ。2年後のオープンが楽しみだね！」

「はい、絶対《ぜったい》成功させましょう！　いえ、成功まちがいなしです！」


モリオカ氏は、テーマパーク「USJ《ユーエスジェー》」のピンチを救《すく》うために呼《よ》ばれたマーケティングの専門家《せんもんか》である。マーケティングとは、かんたんにいうと「商品やサービスが売れるための仕組みを作ること」だ。

洗剤《せんざい》やシャンプーなどを主力商品とする会社《かいしゃ》での活躍《かつやく》ぶりが買われ、未経験《みけいけん》のエンターテインメント業界に飛びこんだのが2年前。

オープンしたころに比《くら》べ、来場者が減《へ》ってきている「USJ《ユーエスジェー》」の人気を復活《ふっかつ》させる――それがモリオカ氏の使命である。モリオカ氏は入社以来、続々《ぞくぞく》と斬新《ざんしん》なアイディアを出してきた。人気のゲームやマンガとコラボレーションしたイベント。ハロウィーンには、ゾンビ役のスタッフを大量に投入したのが大当たり。クリスマスシーズンには、高さ36メートル、約33万個《こ》のLED《エルイーディー》でかざった「世界一の光のツリー」でたくさんのお客さんを呼《よ》びこんだ。

そして、長期的なプロジェクトとなるもっとも大きな企画《きかく》が『ハリー・ポッター』の世界を再現《さいげん》したエンターテインメント施設《しせつ》なのだ。

「成功まちがいなしです！」という女性《じょせい》社員の声が頭によみがえり、モリオカ氏はほほえんだ。完成すれば、きっとたくさんのお客さんが詰《つ》めかけるだろう。

だが、モリオカ氏は大きな課題に直面していた。

『ハリー・ポッター』の施設《しせつ》がオープンするのは２０１４年。問題は、その前の２０１３年にお客さんを呼《よ》びこむ目玉がないことだ。しかも『ハリー・ポッター』の施設《しせつ》に約４５０億円を準備《じゅんび》しているために、予算はほとんどかけられない。

（だが、待てよ。新しい設備《せつび》をゼロからつくる予算はないけど、今あるものに手を加える――「リノベーション（改造《かいぞう》）」なら安い予算でできるじゃないか。）

これはいい思いつきだったが、それでもやはり特別なアイディアが必要なことに変わりはない。すでにあるアトラクションにちょっと工夫を加えたくらいでは、お客さんの興味《きょうみ》を引くことはできないだろう。

お金をかけずちょっとだけ改造《かいぞう》して――それでもお客さんには「まったく新しいもの」に見えるのが理想だ。

(困《こま》ったときは現場《げんば》を歩くに限《かぎ》る。)

モリオカ氏は毎日テーマパークの中をひたすら歩き回りながら、ピンチを救《すく》うアイディアを探《さが》し求めていた。


ある晩《ばん》。アイディアを考えているうちにいつのまにか眠《ねむ》りについていたモリオカ氏は、ハッと飛び起きた。

「ああ、なんだ。夢《ゆめ》か……。」

「USJ《ユーエスジェー》」の人気アトラクションである絶叫系《ぜっきょうけい》ジェットコースターが、たくさんのお客さんを乗せて青い空をかけぬけていく。それはモリオカ氏が昼間にじっと見つめていた映像《えいぞう》だった。

(今日はジェットコースターを長く見てたから夢《ゆめ》にも出てきたんだろうな。)

しかし、モリオカ氏は何か違和感《いわかん》を覚えた。実際《じっさい》のコースターとは何かが違《ちが》っていたようなのだ。

（実際《じっさい》のコースターは右から左に走るのに、今、夢《ゆめ》に出てきた映像《えいぞう》では左から右に走っていたんだな。）

モリオカ氏は違和感《いわかん》の理由に気づくとともに息をのんだ。

（これだ！　これは使える！）

そして――モリオカ氏が夢《ゆめ》から得《え》たアイディアをもとにジェットコースターに加えた工夫は大成功。みごとに目玉の人気アトラクションとなったのである。

夢《ゆめ》をヒントに、もとからあるジェットコースターにある工夫を加えたところ、大人気アトラクションとなった。それはどんなアイディアだったのだろうか。

解説《かいせつ》

いつもは右から左に走っているジェットコースターが、夢《ゆめ》では左から右に走っていた。つまり夢《ゆめ》では逆《ぎゃく》方向に走っていたということだ。モリオカ氏はここから、ジェットコースターを逆走《ぎゃくそう》させることを思いつく。後ろに向かって走るジェットコースターはかつてないスリリングさで、大人気となった。

これはテーマパーク「USJ《ユーエスジェー》（ユニバーサル・スタジオ・ジャパン）」の人気回復《かいふく》の立役者となった森岡毅《もりおかたけし》さんをモデルとした実話。実際《じっさい》、もとの前向きジェットコースターにさほど手を加えなくてすんだというからすごい。目標通り、新しい設備《せつび》を一から作ることなく、まったく新しいアトラクションを実現《じつげん》してしまったわけだ。発想の価値《かち》、ものごとをいろいろな角度から考えるすばらしさを実感するエピソードだ。森岡《もりおか》さんは２０１７年にマーケティング集団《しゅうだん》「刀」を設立《せつりつ》。その後も各地のテーマパークのリニューアルをはじめ、飲食業界や金融業界《きんゆうぎょうかい》などさまざまな事業に携《たずさ》わっている。

28

なつかしい石

成功→なぜ？

あたしは、母さんが戸口に立って手をふっているのに気づくと、足を早めた。娘《むすめ》を連れて実家を訪《たず》ねるのは2年ぶりだから、楽しみにしていたのだろう。娘《むすめ》のエイダは、重たいキャリーカートを引いているあたしの前に飛び出し、走っていって母さんの胸《むね》に飛びこんだ。

「エイダ、大きくなったわね。」

「うん、8歳《さい》になったもん。」

「あら、エイダ。ピアスしてるの？」

母さんがエイダの耳で輝《かがや》くものに目ざとく気づいたので、あたしはあわてて言う。

「磁気《じき》ピアスよ。磁石《じしゃく》でくっつくやつだから穴《あな》は必要ないの。」

母さんは昔からこういうことに口うるさいのだ。あたしが「ピアスの穴《あな》を開けたい」と言い出したときもなかなか許《ゆる》してもらえなかったし、洋服についても「ハデすぎる」なんて文句《もんく》を言われたっけ。エイダはおばあちゃんが大好きだけど、あと2〜3年で口げんかをするようになるかもしれない……。

「ねえママ、見てってば！」

ふと見ると、エイダは黒い石の上に乗り、グラグラさせて喜《よろこ》んでいる。

「ふふ、なつかしい。あたしも子どものころ、そうやって遊んだわ。」

真っ黒な大きい石——岩のようにごつごつした変わった形の石はあたしが小さいころから、ずっと納屋《なや》のドアストッパーに使われていた。この石は父さんと母さんが結婚《けっこん》してこの家を買ったときからあったそうだ。

「去年、納屋《なや》を取りこわしたから家のドアストッパーに使うことにしたのよ。そういえば、きのうね、配達員の人が『この石をゆずってくれないか』なんて言ってきたの。庭にかざりたいんですって。愛着があるから断《ことわ》ったけど。」

「へえ。別にきれいな石ってわけでも……」と言いかけたあたしの声は、エイダの金切り声にかき消された。

「ママ！　ピアス落としちゃったぁ！」

「さわがないの。さっきまであんたの耳についてたんだから。ほら見つけた！」

あたしはエイダが乗っかっている石にピタリとついているピアスに手をのばすと――母さんに笑いかけた。

「そうね。母さん。この石、あげちゃわなくてよかったかもしれないわね。これは特別な石なのかも。」


主人公は、この石に価値《かち》があると考えたようだ。この石の正体は何なのだろうか。

解説《かいせつ》

この石の正体は、隕石《いんせき》だった。隕石《いんせき》は、宇宙空間《うちゅうくうかん》を漂《ただよ》っていた岩石が地球に落下したもの。隕石《いんせき》の多くは鉄を多くふくんでいるので、磁石《じしゃく》にくっつくことが手軽な見極めのポイントになる（ただし、磁石《じしゃく》につかない隕石《いんせき》もあるし、地球上の岩石でも磁石《じしゃく》につくものもある）。表面が黒っぽいなら、さらに隕石《いんせき》である可能性《かのうせい》が高い。岩石が大気圏《たいきけん》に突入《とつにゅう》するとき、石が空気を押《お》しのけるために空気が圧縮《あっしゅく》されて熱が発生する。この熱で燃《も》えて黒くなるからだ。小さいものは燃《も》えつきるが、大きいものは隕石《いんせき》として地球に落ちてくる。

この石を鑑定《かんてい》してもらうと、主人公がにらんだ通り隕石《いんせき》だと判明《はんめい》。大きく、貴重《きちょう》なもので、博物館が高額《こうがく》で買い上げてくれることになった。世界には、貴重《きちょう》な隕石《いんせき》を探《さが》し出す「隕石《いんせき》ハンター」がいる。宇宙《うちゅう》から降《ふ》ってくる隕石《いんせき》は、だれのものでもない。持ち主のいない土地で見つけたら自分のものになる可能性《かのうせい》が高いので、「隕石《いんせき》が落ちた」とニュースで報道《ほうどう》されたら探《さが》してみる価値《かち》はあるかもしれない。

29

農場主の心配ごと

心配↓なぜ？

1848年、1月。アメリカのサンフランシスコにて。

現代《げんだい》のサンフランシスコは世界的な大都市だが、このころは人口100人ほどの小さな村であった。

ある日のこと――大工のジェームズは、アメリカン川の川ぞいにせっせと水路を掘《ほ》っていた。

ジェームズは、土地の所有者であるサッター氏にやとわれて仕事をしている。サッター氏はこのあたりを大きな農場にする計画を持っていた。農場を開発するためにたくさんの人をやとい、その現場監督《げんばかんとく》をつとめているのがジェームズなのだ。

「ふう、疲《つか》れたなぁ。」

ジェームズはひと休みしようと、大きく伸《の》びをした。

そして、ふと目を落としたとき。

水路でキラリと何かが光ったのである。

「なんだろう？」

ジェームズは水の中に手を入れてそれをすくい上げた。

「これは、もしかして……？」


ジェームズは急いでサッター氏のもとへ走った。

「サッターさん、水路でこんなものを見つけたんですが。」

サッター氏はジェームズの手のひらの上のものをじっと見つめ、それから指でつまんでながめた。それは小さな金属片《きんぞくへん》だが——キラキラと金色に輝《かがや》いている。

「金かもしれないな。ちゃんと調べてみないとわからないが。」

ひそかにその物質《ぶっしつ》を分析《ぶんせき》し、ジェームズが見つけたものが金だと判明《はんめい》するとサッター氏は顔をくもらせた。

「まずいことになったな。ジェームズ、このことはだれにも秘密《ひみつ》にしておいてくれ。」

「わかりました、サッターさん。」

しかし、この会話を聞いていた者がいたのか――秘密《ひみつ》はどこからかもれてしまった。

そして、サッター氏の悪い予感の通り、彼《かれ》は大きな被害《ひがい》をこうむったのだ。


サッター氏は金が見つかったのに喜《よろこ》ぶどころか、「まずいことになった」と言う。なぜだろうか。

解説《かいせつ》

サッター氏は砂金《さきん》が発見されたとバレたら、金を求める人々《ひとびと》が詰《つ》めかけて大変なことになると思ったのだ。そして、この心配通りのことが起こる。

まず、うわさを検証《けんしょう》するためにやって来た男が、砂金《さきん》を集めた小ビンをかかげて「アメリカン川から金が見つかったぞ！」とふれまわったので、みんなに知れ渡《わた》ってしまう。このニュースが新聞で報道《ほうどう》されると、アメリカ国内のみならずヨーロッパや中国からも一攫千金《いっかくせんきん》を夢見《ゆめみ》る人々《ひとびと》が押《お》し寄《よ》せた。その数は約30万人といわれる。このように金が発見された土地に、採掘者《さいくつしゃ》が殺到《さっとう》することを「ゴールドラッシュ」という。

これは史実《しじつ》をもとにした話。当時は無法者が幅《はば》をきかせていた時代で、サッター氏の土地はよそ者にめちゃくちゃに掘《ほ》り返され、大農場を作りたいという彼《かれ》の夢《ゆめ》は台なしにされてしまった。また、昔からこの土地に住んでいた先住民族たちが住む場所を追われるという悲劇《ひげき》も起こったのだ。

30 ゴールドラッシュの副産物

成功→なぜ？

ゴールドラッシュにわき立つサンフランシスコには世界中からたくさんの人が集まってきた。

当初、多くの人々《ひとびと》はたいした道具も持たず、川でひたすら砂金《さきん》をあさりまくった。川に流れこんだ砂金《さきん》は、鉱物《こうぶつ》から金がはがれ落ちたものだ。一粒一粒《ひとつぶひとつぶ》は小さくても、たくさん集めればそれなりの価値《かち》になる。

川の砂金《さきん》が取りつくされると、人々《ひとびと》は金鉱《きんこう》（金をふくむ鉱石《こうせき》）を探《さが》し始めた。山を掘《ほ》ったり、岩をつぶしたり……このレベルになるとかなりの肉体労働だ。爆薬《ばくやく》を使うこともあり、「宝探《たからさが》し」から大規模《だいきぼ》な「事業」になっていく。

サンフランシスコにやって来たのは、金の採掘《さいくつ》が目的の人だけではない。人が集まる場所には、あらゆる商売のチャンスが生まれる。商人や銀行家、弁護《べんご》士《し》などいろいろな職業《しょくぎょう》の人が移《うつ》り住んできたのである。

ドイツ人のリーバイもその一人だ。アメリカに渡《わた》ってきたときはニューヨークに住んでいたリーバイがサンフランシスコに移住《いじゅう》してきたのも、採掘《さいくつ》を行う鉱夫《こうふ》にねらいを定めたからだった。リーバイは、洋服や幌《ほろ》馬車《ばしゃ》の幌《ほろ》（馬車の荷台にかぶせる雨よけの布《ぬの》）を仕立てる雑貨店《ざっかてん》を開いたのである。

（鉱夫《こうふ》は山ほどいるから、お客には困《こま》らないぞ！）

ところが、店はまるでもうからなかった。まわりに同じような店がいっぱいできていたからだ。リーバイは、布《ぬの》の在庫《ざいこ》の山の中でヒマをもてあましていた。

（もっと積極的にお客さんに話しかけて注文をとりつけよう。）

リーバイは、店内をキョロキョロ見回している男に声をかけてみた。

「何をお探《さが》しですか？　どんなものでもご希望通りに仕立てますよ！」

「じょうぶな服はないか？　採掘現場《さいくつげんば》ではかたい岩場にひざをついたり座《すわ》りこんだりするから、すぐに服が破《やぶ》れちまうんだ。」

「なるほど。厚地《あつじ》の作業着が必要なんですね？」

こう言ったとき、リーバイは、ふとひらめいたのだ。

「あっ、これならご要望にぴったりの服が作れます！」


リーバイが作ったズボンに男は満足し、店にはたくさんのお客がやって来て――それは、歴史的《れきしてき》な大ヒット商品となった。ゴールドラッシュという背景《はいけい》があったからこそ生まれた発明品ともいわれている。

リーバイは何を使ってズボンを作ったのだろうか。

解説《かいせつ》

リーバイは幌馬車《ほろばしゃ》の幌《ほろ》で作業ズボンを作ったのだ。幌馬車《ほろばしゃ》につけられた幌《ほろ》は、日ざしや雨にたえられるようキャンバス生地《きじ》と呼《よ》ばれるじょうぶな布《ぬの》で作られていた。キャンバスはテントや船の帆《ほ》にも使われていた。リーバイはこれを衣類に用いることを思いついたのだ。そう、彼《かれ》は世界的に有名なジーンズメーカー「リーバイ・ストラウス社」を創立《そうりつ》した人物である。

当初は、白に近い生成《きな》り色だったが、インディゴ（藍《あい》）に染《そ》めたのにもわけがある。天然のインディゴ染料《せんりょう》には、虫やヘビがきらう成分がふくまれているのだ。しかもよごれが目立たないので、鉱山《こうざん》で働く人にとっては好都合。さらに、ポケットの入り口を破《やぶ》れにくくするため、補強《ほきょう》用のリベットという鋲《びょう》を打ったことで「ジーンズ」は完成したのである。

31

チューリップで大もうけ

失敗→成功？

1630年代、オランダにて。

ルドルフは手のひらの球根をいとおしそうにながめ、ふくみ笑いをした。

（ふふふ……だいぶ高かったが、買ってよかった。こいつは特別な球根だからな。チューリップの人気は上がる一方だし、これがいくらで売れることやら。）

今もチューリップ王国として知られるオランダに、チューリップが持ちこまれたのは1560年ごろのこと。トルコ原産のチューリップをオランダに伝えたのはフランスの植物学者だ。

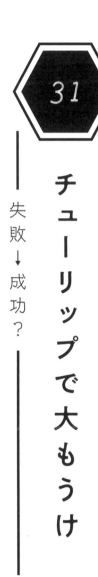

まず、貴族《きぞく》やお金持ちの人々《ひとびと》が「外国生まれの変わった形の花」に飛びついた。彼《かれ》らがこぞって庭に植えたので、チューリップは富のシンボルとなっていく。

さらに、チューリップが爆発的《ばくはつてき》な人気を得《え》たことには大きな理由がある。

ふつうのチューリップは赤や黄色の一色だ。だが、ときどき赤に白のすじがあったり、炎《ほのお》のようなもようの花を咲《さ》かせるものがあった。

こうした突然変異《とつぜんへんい》のチューリップは「ブロークン・チューリップ」と呼《よ》ばれ、さらに人気を集めたのである。これは球根がウイルスに感染《かんせん》して生まれたものだったが、それが解明《かいめい》されるのはずっと後のことである。

「ブロークン・チューリップ」はウイルスで弱っているので、これをもとに増《ふ》やした球根はダメになってしまうものが多かった。それだけによりめずらしい品《しな》とされ、値段《ねだん》はどんどん上がっていったのだ。

「チューリップの球根が高値《たかね》で売買されている」と知れわたると、チューリップの栽培家《さいばいか》だけではなく、一般《いっぱん》市民も高いお金を出して市場で球根を買い始めた。

「大工のテオドールが、すごい『ブロークン・チューリップ』を手に入れてな。それを売った金で馬を買ったんだぜ。」

「ミッチェルは球根10個《こ》を売って、ブタ10頭を買ったってよ。」

チューリップの球根を転売するだけでお金がたっぷりふところに入るなんて、こんなうまい話はない。

靴屋《くつや》も肉屋も――だれもが競うように、お金をチューリップの投機につぎこむようになる。投機とは、物の値段《ねだん》が高くなったり、安くなったりする現象《げんしょう》を利用して、利益《りえき》を出そうとすること。安く買ったものを高く売ってもうけようとすることだ。

ブームが盛《も》り上がるなかで、最高級品といわれたのは白地に赤のしまもようが入ったチューリップである。これは「無窮《むきゅう》の皇帝《こうてい》」と呼《よ》ばれ、一生働かなくても暮《く》らしていけるほどの金額《きんがく》で売られたという。

(オレもすごい球根を手に入れたい。うまくいけば、もう朝早く起きてパンを焼く生活におさらばできるんだ。)

パン屋のルドルフも1年ほど前からチューリップの投機を始め、そこそこ財産《ざいさん》を増《ふ》やすことに成功していた。

(そろそろ、大勝負をしかけるときかもしれないな。)

そう考えたルドルフは、高いお金を出して「ブロークン・チューリップ」を買ってきたのである。


ところが──。

それは、ルドルフがテーブルに球根を置いて、ほんの少しその場をはなれた間のできごとだった。

「お、おい……ヨハン!　おまえは何をやってるんだ!」

ルドルフは、つい先日やとったばかりの手伝いの少年を見て、きもをつぶした。

ヨハンは、がたがたふるえているルドルフを不思議そうに見返した。

「え?　さっき、お昼のスープの準備《じゅんび》をするように言われたから……。」

ヨハンは、ルドルフが大枚《たいまい》をはたいた球根を玉ねぎとまちがえて、包丁で切りきざんでいたのである。

ルドルフはショックで3日も寝《ね》こんでしまった。

もうチューリップのことを考えたくなかった。そして、チューリップに関わるのをすっぱりやめたのだ。

ルドルフは、すぐにヨハンをクビにした。

だが、じつはあとあとヨハンに深く感謝《かんしゃ》することになったのである。

ヨハンは、ルドルフが高値《たかね》で買いつけ、さらに高く売るはずの球根を台なしにした。ルドルフは、なぜあとでヨハンに感謝《かんしゃ》したのだろうか。

解《かい》説《せつ》

チューリップの値段《ねだん》は異常《いじょう》な価格《かかく》までつり上がったが、ある日突然《とつぜん》、大暴落《だいぼうらく》したのである。「となり町ではチューリップを買う人がいなくなった」といううわさが流れたことがきっかけともいわれる。ともかく、ある日を境《さかい》にチューリップはまったく売れなくなり大パニックが起こる。もうかると信じ家財《かざい》道具を売り払《はら》って球根を買ったため、全財産《ぜんざいさん》を失った人もいたそうだ。一方、冷静に「チューリップがいつまでも値上《ねあ》がりし続けるわけがない」と考え早めに手を引いた人もいた。ルドルフはそんなわけでチューリップ投機をやめるきっかけを作ったヨハンに感謝《かんしゃ》したのだ。

これは世界で最初の「バブル経済《けいざい》」現象《げんしょう》（ものの価値《かち》が異常《いじょう》にふくれ上がる経済状態《けいざいじょうたい》）といわれる。日本で１９８０年代に起こったバブルでは、投機の対象《たいしょう》は土地や株《かぶ》。やはり、値段《ねだん》がつり上がったあげくに急激《きゅうげき》に暴落《ぼうらく》し、不況《ふきょう》が訪《おとず》れた。「バブル」は「泡《あわ》」という意味。景気がいいように見えても、泡《あわ》のように不確《ふたし》かなものに手を出すのは危険《きけん》なことである。

32

接客《せっきゃく》の神

失敗→なぜ？


何もかも白で統一《とういつ》されたショップに立つと、自然と気が引きしまる。

今日はスマホの新モデルの発売日。

そして、オレがショップスタッフとしてデビューする記念すべき日でもある。

オレはずっとこのココナッツ社のスマホの大ファンなんだ。

だから、ショップスタッフになることが目標だった。

これまで、学生時代から決して安くないココナッツ社のスマホを何台も使ってきたから、歴代《れきだい》のスマホの特徴《とくちょう》だって知りつくしている。

採用《さいよう》されたのも、「ココナッツ社のスマホマニア」と言っていいくらいの知識量《ちしきりょう》が認《みと》められたせいだと思うんだ。

開店時間になると、外に並《なら》んでいたお客さんがぞろぞろ入ってくる。

ここでは整然と並《なら》んだスマホを、お客さんが手に取って使い心地《ごこち》を試せるようになっている。オレたちスタッフは、お客さんが説明を求めていそうな雰囲気《ふんいき》を見計らってスマートに接近《せっきん》するのだ。あくまで押《お》しつけがましくない態度《たいど》で。

「いらっしゃいませ。こんにちは。」

品よくにこやかに、穏《おだ》やかな口調で――最初のあいさつは大事だ。

「このモデル、オレの使ってるこれとどこが違《ちが》うの？」

おじさんに聞かれて、オレはよどみなく説明する。おじさんがときどきはさんでくる質問《しつもん》にも、的確《てきかく》に答えられた。

さっそく購入《こうにゅう》決定かと思ったのに……おじさんは意外なことを言い出したんだ。

「これ、いいんだけど、残念だよなぁ。カメラのボタン位置さえ前と同じなら買うんだけど。絶対《ぜったい》、前の位置の方が使いやすかったでしょ？」

オレはあわてた。じょうだんじゃない。てっきり買う気だと思ったのに。

正直なところ、オレもボタンの位置は気になってたんだけど……。

「いや、使いにくいなんてことはありませんよ。」

「だってさ。片手《かたて》で持ったとき押《お》しにくいじゃない。」

そのとき、背後《はいご》から「そうですよね。わたしもそう思います」という声がした。

ふり向くと、そこに立っていたのはミズノという先輩《せんぱい》だ。

おいおい、欠点を認《みと》めちゃってどうすんだよ！

オレは心の中でグチったが……。

このミズノ先輩《せんぱい》は「接客《せっきゃく》の神」と呼《よ》ばれていると、あとで知ったのである。


どうやらミズノ先輩《せんぱい》の応対《おうたい》が「正解《せいかい》」だったらしい。主人公の応対《おうたい》はどこがまずかったのだろうか。

解説《かいせつ》

お客さんに応対《おうたい》する際《さい》は、お客さんの立場に立って「共感」を示《しめ》すことが大事なのだ。主人公はあわてて「使いにくいことはない」と言ったが、これはお客さんの不満を頭から否定《ひてい》する言葉だ。お客さんはいい気持ちがしないし「この店員はとにかく買わせようとしているな」という印象《いんしょう》を持ってしまう。

一方、ミズノ先輩《せんぱい》は「そうですよね」と、いったん共感を示《しめ》した。そのあと「わたしも最初は使いにくいなと思いました。でも、試しているうちにすぐ慣《な》れたんですよ」と続けたのである。

このように言葉をかけられたお客さんは納得《なっとく》して購入《こうにゅう》を決めたという。

成功のポイントは、まず「相手の意見に共感」し、次に「自分もそう思った」と「同感」を示《しめ》す。その上で「実際《じっさい》に感じたこと（実感）を伝える」。このステップは、アップル社の接客《せっきゃく》マニュアルにもあるそうだ。

33

安くてなぜ悪い？

逆転《ぎゃくてん》→なぜ？

今から100年ほど前のインドにて。

ルドラは暗い倉庫の中で、手に取った綿糸《めんし》をたなにもどした。

(やめよう。どんなにていねいに織《お》ったって売れやしないんだからな。)

キャラコ布《ぬの》はインドの特産品だ。サラリと気持ちいい手ざわりで、うすいけれどじょうぶで暖《あたた》かい綿《めん》の布《ぬの》である。つややかな光沢《こうたく》があり、服やカーテン、ハンカチなどの小物にも使われる。

インドは綿花《めんか》の一大産地である。綿《めん》の花が咲《さ》いたあとに実が熟《じゅく》してはじけると、中からふわふわの綿毛《わたげ》が現《あらわ》れる。これを糸に紡《つむ》ぎ、布《ぬの》に織《お》ったものが綿布《めんぷ》である。キャラコ布《ぬの》は平織《ひらお》りというインド伝統《でんとう》の織《お》り方をした布《ぬの》で、輸出品《ゆしゅつひん》としても人気を得《え》ていた。

インドはこの当時、植民地としてイギリスの支配下《しはいか》にあった。そのイギリスも、かつてはキャラコ布《ぬの》を大量に買い上げるいいお客さんだった。イギリスは昔から、羊からとれる羊毛を使った毛織物《けおりもの》が盛《さか》んだが、キャラコ布《ぬの》の心地《ここち》よさには一目置いたわけである。キャラコ布《ぬの》は、まずしいインドの財政《ざいせい》の助けになっていた。

しかし、状況《じょうきょう》は一変する。

イギリスで劇的《げきてき》な技術革新《ぎじゅつかくしん》——「産業革命《さんぎょうかくめい》」が起こったのは1760年〜1840年ごろのこと。産業革命《さんぎょうかくめい》の代名詞《だいめいし》ともいえるのが、蒸気機関《じょうききかん》の発明だ。その仕組みは、ふっとうさせた水の水蒸気《すいじょうき》でピストンを上下させること。熱のエネルギーからものを動かす運動エネルギーを生み出すのだ。蒸気機関車《じょうききかんしゃ》や蒸気船《じょうきせん》が生まれ、輸送《ゆそう》のスピード化が進んでいく。

さらに、社会を大きく動かしたのは鉄をつくる「製鉄《せいてつ》」と石炭の活用。そして、綿工業《めんこうぎょう》の機械化だった。

イギリスはインドからせっせとキャラコ布《ぬの》を買い上げていたのだが、あるとき「わざわざ買わなくても自分の国で作ればいいのでは?」と思いつく。

インドでは糸を紡《つむ》ぐことも、布《ぬの》を織《お》ることも手作業で行っている。

だが、イギリスの技術力《ぎじゅつりょく》ならどちらも機械でできるはずなのだ。

かくして、イギリスは、インドから原料の綿花《めんか》を安く買い上げ、機械でキャラコ布《ぬの》を大量生産し始める。短時間で大量に作れるから、安い値段《ねだん》で売ることができる。

たくさん作りすぎて、在庫《ざいこ》が山積みになるという問題が生じたが……。

これを解決《かいけつ》するのはかんたんだった。

イギリスは、キャラコ布《ぬの》をインドに売りつけることにしたのである。

かつて、インド人たちは輸出用《ゆしゅつよう》にせっせとキャラコ布《ぬの》を生産していた。どの家庭でも、昔からある道具を使って糸を紡《つむ》ぎ、布《ぬの》を織《お》ったりしていたものだ。

「しかし、イギリス製《せい》のキャラコ布《ぬの》はずいぶん安いよね。これ、専用《せんよう》の機械で織《お》ってるらしいよ。」

「ずいぶん便利になったんだね。手作業で織《お》るのは時間がかかるから、こんなに安いならイギリス製《せい》のを買った方がいいよね。」

インド人たちは、こんなふうにイギリス製《せい》のキャラコ布《ぬの》に飛びついた。

みんなは「安く買えて助かる」と思ったのだが——その結果、インドの綿産業《めんさんぎょう》は一気におとろえる。

綿糸《めんし》やキャラコ布《ぬの》を作って生活をしていた多くの人が仕事をなくし、貧困《ひんこん》が広がったのである。

「もう、あのころにはもどれないんだな。」

ルドラがそうつぶやいたとき。

「いや、あきらめたらダメだ。」

倉庫の戸口には――インドの偉大《いだい》なる指導者《しどうしゃ》として尊敬《そんけい》されるマハトマが立っていたのである。

マハトマは、チャルカ（糸を紡《つむ》ぐ道具）に手をのばす。

「また、ここから始めよう。自分の手で糸を紡《つむ》いで、布《ぬの》を織《お》るんだ。」

「でも、今さらイギリスの大量生産にかなうわけがないでしょう？」

しかし、マハトマは穏《おだ》やかな笑《え》みを浮《う》かべて言ったのだ。

「イギリスで工業生産された布《ぬの》は質《しつ》も高いし、スピードでもかなわない。でも、イギリスに対抗《たいこう》する作戦なら、ここにあるさ。」

指で頭をトントンとたたくマハトマの表情《ひょうじょう》は自信にあふれていた。

マハトマはどんな作戦を考えたのだろうか。

解《かい》説《せつ》

マハトマは、国民に「イギリス製《せい》の綿布《めんぷ》を買わないこと」を呼《よ》びかけた。これを「不買運動」という。イギリスがしたことは、高い技術《ぎじゅつ》を持つ国が発展途上《はってんとじょう》にある国からお金をしぼりとる不公平なやり方である。マハトマの呼《よ》びかけにより多くの人々《ひとびと》が綿布《めんぷ》をはじめとするイギリス製品《せいひん》の不買運動に参加。結果、イギリスに大打《だいだ》撃《げき》を与《あた》えることに成功したのである。「買わないこと」は地味な行動だが、みんなが協力すれば大きな力になる。

さらにマハトマは国民に昔のように自分で糸を紡《つむ》ぎ、布《ぬの》を織《お》ることをすすめ、インドの伝統産業《でんとうさんぎょう》と誇《ほこ》りを守った。伝統《でんとう》文化もまた大きな財産《ざいさん》なのである。

マハトマ・ガンジーは「暴力《ぼうりょく》を使わずに抗議《こうぎ》すること」を貫《つらぬ》いたインドの政治運《せいじうん》動家《どうか》。不買運動はイギリスからの独立運動《どくりつうんどう》の追い風にもなり、インドは１９４７年に独立《どくりつ》を果たした。チャルカ（糸を紡《つむ》ぐ道具）はインド国民のシンボルとして、独立《どくりつ》までインドの国旗のモチーフにも使われていた。

34

ダイヤのタバコ入れ

失敗→なぜ？

ウェリントン公が、「ワーテルローの戦い」での勝利を記念する晩餐会《ばんさんかい》を初めて開いたのは、戦いの5年後、1820年のことだ。なぜ5年後かというと、ロンドンの自宅《じたく》に客間をしつらえるのに時間がかかったためである。

この戦争に関わった重要人物たちを招《まね》いた晩餐会《ばんさんかい》は、ウェリントン公が亡《な》くなるまで32年間も続けられた。

ウェリントン公がイギリス・オランダ・プロイセン（現在《げんざい》のドイツ）の連合軍の指揮《しき》をとり、ナポレオン率《ひき》いるフランス軍を破《やぶ》ったことは大事件《だいじけん》だったのだ。

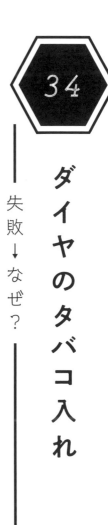

「ワーテルローの間」と名づけられた広い客間は、まったくぜいたくなものだった。フランスを敵《てき》に回してはいたが、ウェリントン公はフランス貴族風《きぞくふう》の飾《かざ》りつけが大好きだった。実はこの部屋《へや》もヴェルサイユ宮殿《きゅうでん》をまねている。窓《まど》に鏡をはったのもヴェルサイユ宮殿《きゅうでん》の「鏡の間」を参考にしたのだ。

84人が着席できる長いテーブルの上にはピカピカの銀食器が並《なら》ぶ。部屋中《へやじゅう》には絵画や、豪華《ごうか》な調度品でかざられている。それらはナポレオンの暴君《ぼうくん》ぶりに困《こま》っていたヨーロッパ各国の王室から、感謝《かんしゃ》のしるしに贈《おく》られたものだ。

ウェリントン公は知的で冷静な策略家《さくりゃくか》であり、「鉄の公爵《こうしゃく》」の異名《いみょう》をとっていたが、戦争はあまり好きではなかった。今では軍人を引退《いんたい》し、政治家《せいじか》として腕《うで》をふるっている。

とはいえ、年に一度の「ワーテルローの戦い」記念晩餐会《きねんばんさんかい》で、軍人だったころの思い出を語るのは悪くなかった。

みな年をとっていくが、「あのころ」の活躍《かつやく》やピンチを語るとき、人々《ひとびと》は目をキラキラと輝《かがや》かせたのである。

何回めの晩餐会《ばんさんかい》のときだったか――テーブルの上にはまだ豪勢《ごうせい》な料理がたくさん残っているものの、すっかり満腹《まんぷく》になった一同が熱心におしゃべりに興《きょう》じ始めたころ。

「どうです、みごとでしょう?」

「おお、これはすごい!」

ウェリントン公がダイヤモンドをちりばめたタバコ入れを取り出して見せると、人々《ひとびと》はこぞってほめそやした。談笑しながら、タバコ入れは人々《ひとびと》の手から手へと回った。そして、いつのまにか……タバコ入れは消えていたのである。

「はっきりさせるために、ここにいる全員のポケットを調べてはどうでしょう。」

だれかがこう言い出すと、みなは「もっともだ」とうなずいた。

しかし、一人だけ――年老いた士官《しかん》がこれに反対したのである。

「ポケットを調べるなんて、わたしは反対だ。」

みんなが老士官《ろうしかん》にたちまち疑《うたが》いの目を向ける。ウェリントン公はあわてた。

(あの老士官《ろうしかん》がまさか――。いや、たしかに彼《かれ》はずいぶんとやせて、元気がなさそうだ。身なりもくたびれているし、暮《く》らしぶりがよくないのかも……。)

ウェリントン公は今も王様のような生活をしているが、それは彼《かれ》が指揮官《しきかん》だったためである。

「みなさん、このことは忘《わす》れましょう。」

ウェリントン公はこう言ってとりなしたが、老士官《ろうしかん》はギロリと彼《かれ》を見返す。

「どろぼうの疑《うたが》いをかけられる覚えはありませんぞ。まったく不愉快《ふゆかい》だ!」

そう言うと、老士官《ろうしかん》は席を立って帰ってしまったのである。あとには気まずい空気だけが残った。


ところが、翌年《よくねん》のこと。

ウェリントン公は頭をかかえていた。昨年の晩餐会《ばんさんかい》で着た服を久《ひさ》しぶりに出してみたら、ポケットからあのタバコ入れが出てきたのである。

(なんてことだ。わたしのポケットに入っていたなんて。)

ウェリントン公はすぐにあの老士官《ろうしかん》に会い、深く謝罪《しゃざい》した。

「ですが……ひとつお聞きしたいのです。あなたはなぜポケットを調べることに反対したのですか？」

老士官《ろうしかん》は言った。

「じつは、はずかしい話だが。あのとき、わたしのポケットには……どうしても見られたくないものが入っていたんだ。」

真相を知ったウェリントン公は涙《なみだ》を流し、心から反省した。そして、このとき——老士官《ろうしかん》が不自由なく暮《く》らせるよう、世話をすることを決めたのだ。


老士官《ろうしかん》はポケットの中に何を入れていたのだろうか。

解説《かいせつ》

老士官《ろうしかん》はポケットに晩餐会《ばんさんかい》で出された肉をひと切れ入れていた。生活が苦しくなっていた彼《かれ》は「家でおなかをすかせている妻《つま》や子どもに食べさせたいと思った」と告白《こくはく》したのである。これは実話を元にした話だ。

ナポレオンを失脚《しっきゃく》させた立役者であるウェリントン公は、イギリスの国民的英雄《えいゆう》で、首相を務《つと》めたこともある。

伯爵家《はくしゃくけ》に生まれた彼《かれ》はお金に困《こま》ったことがなかった。ウェリントン公はこの一件《けん》で、自分がいかに恵《めぐ》まれていたか初めて気づいたのではないか。現代《げんだい》でも、一部の政治家《せいじか》の金銭《きんせん》感覚に驚《おどろ》かされることが多々《たた》あるが、他人のためにお金を使えるのが品位あるお金持ちだろう。自分が知らない人々《ひとびと》にも目配りできればなおさらだ。財《ざい》を築《きず》くことができたのは、自分の能力《のうりょく》のおかげだけではないと知っている人は、さまざまな形で財産《ざいさん》を社会に還元《かんげん》する。そして、それを幸せに感じているのだ。

35

ムダがキライな女の子

ムダ↓なぜ？

スーパーのレジでおさいふを開こうとすると、コガさんはチラッとあたしの手元を見て言った。

「ここ、あたしが立て替《か》えとく。」

そう言うと、コガさんはスマホをピッとタッチして支払《しはら》いをすませた。

あたしたちはペットボトルとお菓子《かし》でいっぱいのバッグを持って、並《なら》んで歩いた。２人でサークルの合宿所から買い出しに来たところなんだ。

大学の演劇《えんげき》サークルに入って１か月。コガさんは同じ１年生だけど、ちょっと緊《きん》張《ちょう》する。この人、独特《どくとく》っていうか……変人のにおいがプンプンするんだよね。高校時代の話は、ここに来るまでにしゃべっちゃったし。何か話題ないかなぁと思っていると、コガさんが口を開いた。

「ワタヌキさんって、いつも現金《げんきん》で支払《しはら》いしてるの？」

「うん、そうだけど。」

すると、コガさんはメガネの奥《おく》の目を見開いて言ったんだ。

「まだそういう人って多いんだね。」

カチンとくる言い方だったけど、コガさんはケロリとした顔だ。きっと悪気はないんだろうなぁと思うことにして会話をつなぐ。

「あたしは電子マネーって使わないな。電車の定期になってる交通系《こうつうけい》のカードくらいで。」

「便利だよ。コンビニのATM《エーティーエム》でチャージできるし。」

「うん。なんかお金を使ってる実感がなくなりそうな気がしてさ。ムダづかいしちゃいそうでこわいんだ。」

するとと、コガさんはクスッと笑ったのだ。

「わかるけどさぁ。電子マネーやクレジットカードってポイントがつくじゃない？　だから、注意して使えばずいぶん得《とく》することが多いよ。」

「クレジットカードで使ったお金は、後で銀行から引き落とされるでしょ？　なおさらハードル高いよ、あたしにはね。」

「うん。まあ、人それぞれだよね。」

コガさんがこう言ったから、ホッとした。よかった。「人それぞれ」がわかる人で。

でも、コガさんは次にまた不思議なことを言い出したんだ。

「でも、お金を使ってる実感って、お札や硬貨《こうか》を使ってたら意識《いしき》できるものなのかなぁ？」

うーん。そう言われれば……実際《じっさい》どうなんだろう？

あたしがだまっていると、コガさんはペラペラしゃべりだした。

「お金がなかった大昔は物々交換《ぶつぶつこうかん》してたわけでしょ？　それだと取引が不公平だっ

たり、価値《かち》がはっきりしないからお金ができたわけだ。貨幣《かへい》ができる前は、貝殻《かいがら》だの石でできたお金を使ってたっていうのも意味不明。ヒスイとかコショウの実とか塩をお金にしてた国もあったらしいけど、こっちの方があたしはまだ納得《なっとく》できるな。そのモノに価値《かち》があるもん。貝殻《かいがら》をいっぱい持ってて『お金持ち』を実感できたなんて想像《そうぞう》つかないよ。」

なんだかコガさんっておもしろい。

「あはは、そうだね！　たしかに金貨や銀貨なら『価値《かち》が高い！』って感じする。」

あたしが言うと、コガさんは深くうなずいた。

「そう、そこなんだよ。紙幣《しへい》ってよくわかんないよね。ただの紙切れじゃん？」

なんだかハッとした。言われてみれば、不思議ではある。

合宿所のあかりが見えてきたあたりで、コガさんは立ち止まって言った。

「あたしって、ムダがきらいな性格《せいかく》なんだよね。電子マネーもいいことばっかりじゃないのはわかってるけど、今のお札や硬貨《こうか》はそのうちなくなるんじゃないかな。ムダが多いから。特に1円なんてわざわざ作る意味あるのかなと思うよ。」

「そう？　お札や硬貨《こうか》がなくなったら、さびしいね。あたしはやっぱり、お札や硬《こう》貨《か》を使うのが好きだな。電子マネーみたいに一瞬《いっしゅん》で会計できないからムダは多いのかもしれないけど。」

すると、コガさんはもう一度念を押《お》すように言ったんだ。

「あたしが言ったのは払《はら》うときの手間じゃなくて、『お札や硬貨《こうか》そのもの』にムダが多いっていう意味なの。だから、ムダを減《へ》らすために将来《しょうらい》なくなるんじゃないかって……。」

コガさんが言う「お札や硬貨《こうか》そのものにはムダが多い」とはどういう意味なのだろうか。

解説《かいせつ》

コガさんは、現在《げんざい》使われているお札や硬貨《こうか》の「原価《げんか》」について言っているのだ。当然ながら、お金を作るには「製造費《せいぞうひ》」がかかる。一説によると、材料費《ざいりょうひ》、機械を動かす費用《ひよう》や、お金をつくる工場で働く人のお給料などから割《わ》り出すと、1円玉を作るのに2~3円かかる。1円玉の原料はアルミニウムなので、アルミニウムを輸《ゆ》入《にゅう》する料金の変動によって少々《しょうしょう》変わる。実は、日本で使われているお金のなかで、一番高くついているのが1円玉だといわれる。しかし、消費税《しょうひぜい》が導入《どうにゅう》されて以降《いこう》、1円玉を使う必要は増《ふ》えたため、たくさんつくられているのだ。

ほかの硬貨《こうか》は以下の通り。5円玉は7~10円。10円玉は10~13円。50円玉は13~15円。100円玉は25円程度《ていど》。500円玉は30円程度《ていど》。

お札は、1000円札が15円程度《ていど》、5000円札が20円程度《ていど》、1万円札が23円程《てい》度《ど》。特殊印刷《とくしゅいんさつ》を使っているわりには安いが、硬貨《こうか》より耐久性《たいきゅうせい》が低いので、やっぱりばかにならないのだ。

36

お宝《たから》鑑《かん》定《てい》

失敗↓なぜ？

「なんか高そうなうで時計《どけい》してるな。」

そう言うと、カザマはぽつりと「ロレックス」とつぶやいた。

ロレックス？

ブランド品には縁《えん》がないオレだってそのくらいは知ってる。

「すごい高いんじゃないのか？」

「いや、それほどでも。だから売っぱらわないで自分のにしたんだけど。」

「売っぱらうって……？」

このうで時計《どけい》は、カザマの父親がのこしたものだそうだ。

「遺品《いひん》整理をしてたらこういうのがゴロゴロ出てきたんだよ。くわしい友だちに聞いたら『投資《とうし》目的で買ってたんじゃないか』って。」

ロレックスのうで時計《どけい》は、この20年ほど買い取り価格《かかく》が上がり続けているんだという。

「ロレックスはコレクターが多いんだって。友だちにつきあってもらって、専門店《せんもんてん》に売りに行ったらさ、１００万円で売れたやつもあるんだ。」

うで時計《どけい》ひとつで１００万円だと？

聞くと、発売されたころには50万円くらいしたものだそうだ。

うで時計《どけい》に50万円なんて気が知れないが、寝《ね》かせて倍になるなら――たしかに投資《とうし》としては割《わ》りがいい。今、銀行に50万円を預《あず》けたって、利子なんてまるでつかないもんな。

「ってことは今、新品のロレックスを買って、何年かしまっておいたら値上《ねあ》がりするわけ？」

「そうだけど、素人《しろうと》には手を出せない世界だよ。どんなのが値上《ねあ》がりするか見当もつかない。ありがたいことに親父《おやじ》はけっこう見る目があったらしい。」

カザマはうれしそうに鼻をふくらませて続けた。

「今は、ロレックスとワインの投資《とうし》が流行《はや》ってるらしいぜ。」

「ワイン？」

オレは前のめりになった。

実家の2階の西側の物置き状態《じょうたい》になってる部屋《へや》に、ワインが何本かしまいこんであったのを思い出したからだ。

「親父《おやじ》の知り合いの超《ちょう》金持ちの社長さんがくれたんだよ。一流のシャトー（ワインの生産者）のもので、1本10万円くらいするらしい。何年か寝《ね》かせて熟成《じゅくせい》させるといいっていうから、しまってあるんだ。」

ドラマで見たことがある。いかにも高級な店で、ワインのソムリエが「これは×年製《せい》のワインです」とか言いながらワイングラスに注ぐシーン。

「1本10万円のレベルなら、かなり高く売れる可能性《かのうせい》があるぞ。いつごろもらったんだ？」

「10年前くらいだな。」

カザマは、スマホの上に指をすべらせながらサクサク調べている。

「それならちょうどよく熟成《じゅくせい》してるころじゃないか？　そういうのが高く売れるんだよ。うまくすれば3倍くらいいくかも。自分で味わうのもいいけどさ。特にワイン好きってわけでもないなら、売ってもうけるのもアリじゃん。」

それ、いいな。

「親父《おやじ》はワインよりウイスキーが好きなんだ。あれが高く売れたら親父《おやじ》には高級ウイスキーを買ってやってさ。オレが手数料を少々《しょうしょう》いただくってのがいいんじゃないか？」


オレはさっそく実家にかけつけた。親父《おやじ》はまったく手をつけておらず——調べてみるとしまってあった5本のワインは有名なシャトーのものだったのだ。

なんてラッキーだ。

オレは信頼《しんらい》のおけそうな買取店を調べ、ワインを持っていった。

しかし――そのワインにはまったく値段《ねだん》がつかなかったのである。

主人公が売りに行ったワインはまちがいなく一流の品だった。なぜ、値段《ねだん》がつかなかったのだろうか。

解説《かいせつ》

問題は、ワインの保管場所《ほかんばしょ》である。年数がたって熟成《じゅくせい》し、作りたてのときとはまた違《ちが》う味わいが生まれたワインに価値《かち》があるのは本当だが、それには保管場所《ほかんばしょ》の環境《かんきょう》が重要だ。部屋《へや》の温度は10〜16度くらい、湿度《しつど》は65〜80%《パーセント》ほどがベスト。専用《せんよう》のワインセラー（保管庫《ほかんこ》）がなければ、それなりの工夫が必要になる。

主人公の実家のワインがしまわれていたのは、西日の当たる2階の部屋《へや》。夏はとんでもない高温になる。ワインは熟成《じゅくせい》ではなく、完全に変質《へんしつ》して味が悪くなってしまっていたのだ。ワインを鑑定《かんてい》する専門家《せんもんか》は、もちろんビンを開けなくても状態《じょうたい》がわかる。コルクを通した蒸発《じょうはつ》が激《はげ》しく、なかみが度をこしてへっていたり、色が目立って変色していたので香《かお》りも味も劣化《れっか》していることが一目瞭然《いちもくりょうぜん》だったのだ。

価値《かち》あるものを台なしにしないため、保存《ほぞん》や管理の方法を調べることは大切だ。自分には必要ないものでも、状態《じょうたい》さえよければ、それを求めている人にゆずり渡《わた》すことができるのだから。

37

その理由

中止→なぜ？

「もうすぐ結婚記念日《けっこんきねんび》だけど、行きたいお店の希望ある？」

わが夫のアキラさんが、こう聞くようになったのはいつからだろう。

若《わか》いころはこんなことはなかった。

娘《むすめ》が大きくなってから「お父さんもさ、たまにはお母さんをデートに誘《さそ》った方がいいよ。大切にしないと離婚《りこん》されるかもよ」なんて、じょうだんまじりに言うようになったのを真に受けたのか。

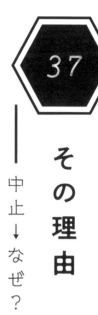

去年はお寿司屋《すしや》さん。おととしは、イタリアンレストラン。

聞いてもらった以上は「なんでもいい」じゃなくて、リクエストした方がいいよね。とはいえなかなかパッと思いつかないでいると、アキラさんはニコニコして言う。

「今年は結婚《けっこん》50周年だから『金婚式《きんこんしき》』だね。」

アキラさん、「金婚式《きんこんしき》」なんてよく覚えてたなぁ。これも娘《むすめ》にふきこまれたのかも？

なんて思ってたら、ふと古い記憶《きおく》がよみがえったんだ。

あれは結婚《けっこん》して2年のころ。行きそこなった新婚旅行《しんこんりょこう》のかわりだった。

「あのさ、予算が高くなっちゃうけど……新幹線《しんかんせん》の食堂車《しょくどうしゃ》でご飯食べたい！」

あのとき……わたしもアキラさんも東京育ちだから「一度、大阪に行ってみたいね」ってことになったんだっけ。

「2人で大阪旅行したとき、新幹線《しんかんせん》の食堂車《しょくどうしゃ》で食べたビーフシチューが忘《わす》れられないんだよ。アキラさんはステーキ定食を食べたよね。たまにはぜいたくしてもいいよね、なんて言ってさ。なつかしいな。あのころ、新幹線《しんかんせん》『ひかり』号で、東京から新大阪まで3時間10分もかかったんだよね。今は『のぞみ』なら2時間半くらいでしょ？」

新幹線《しんかんせん》ができたのは東京オリンピックの年、１９６４（昭和39）年だけど――。

「新幹線《しんかんせん》って、ホントに大革命《だいかくめい》だったよね。新幹線《しんかんせん》ができる前にいとこのミヤちゃんと京都観光に行ったときなんて、東京から6時間以上かかったんじゃなかったかな。でも、特急列車で外の景色を見ながら食べたカレーライス、おいしかったなぁ。」

おっと、話がそれちゃった！

わたしって夢中《むちゅう》になるとつい一人でしゃべりまくっちゃうんだよね。

ここでアキラさんが、ゆっくり口を開く。

「残念ながら、もう新幹線《しんかんせん》には食堂車《しょくどうしゃ》ってないんだよ。」

アキラさんの言葉に、わたしはびっくりした。

「え、今、食堂車《しょくどうしゃ》ってないの？」

「うん。なくなって20年くらいたつんじゃないかな。」

「えぇ……もったいない。そうかぁ、食堂車《しょくどうしゃ》って人気がなくなったんだね。」

するとアキラさんはメガネのふちに手をかけて言ったんだ。

「うーん。車内販売《はんばい》のお弁当《べんとう》の売り上げが上がったのは確《たし》かだけど。でも、食堂車《しょくどうしゃ》は繁盛《はんじょう》してた。『食堂車《しょくどうしゃ》の人気が下がったからなくなった』とは言いたくないな。変な言い方だけど、『食堂車《しょくどうしゃ》を利用する人が減《へ》った』からなくなったんだ。」

「え、ちょっとわかんないよ。それ、どういう意味？」

アキラさんは、昔から厳密《げんみつ》な言い方にこだわる方なんだ。

「うん。食堂車《しょくどうしゃ》が廃止《はいし》された理由は主に2つあるといわれてるよ。ひとつは、新幹《しんかん》線《せん》を利用する人がどんどん増《ふ》えたこと。」

「え？　利用客が増《ふ》えたら食堂車《しょくどうしゃ》はよけいもうかるんじゃない？」

「食堂車《しょくどうしゃ》に使ってた車両を廃止《はいし》して、乗車席を増《ふ》やした方がもうかるってことになったわけだ。食堂車《しょくどうしゃ》には設備費《せつびひ》もかかるしね。」

「じゃあ、もうひとつの理由は？」

アキラさんはニヤッとした。

「よし。もうひとつの理由がわかったら、オリエント急行の旅に連れていってあげるよ。ヒントは……あなたがしゃべったことの中にあるよ！」

ええ！　オリエント急行の旅⁉

これはなんとしても当てなくっちゃ！


新幹線《しんかんせん》の食堂車《しょくどうしゃ》がなくなったもうひとつの理由とは何だろうか。ヒントは主人公の話したことの中にある。

解説《かいせつ》

新幹線《しんかんせん》の食堂車《しょくどうしゃ》がなくなったもうひとつの理由は、新幹線《しんかんせん》のスピードが上がり、所要時間が短くなったことだ。かつて、東京―新大阪間は3時間10分程度《ていど》で運行されていた。しかし、年々《ねんねん》最高速度が上がり、車内で過《す》ごす時間が短くなったことで、食堂《しょくどう》を利用する人が減《へ》ってしまったのだ。これは、ほかの特急列車にもいえることだ。新《しん》幹線《かんせん》の食堂車《しょくどうしゃ》は2000（平成12）年に廃止《はいし》された。現在《げんざい》、食堂車《しょくどうしゃ》のある特急列車も希少な存在《そんざい》となっている。

主人公はみごとに正解《せいかい》し、オリエント急行の旅に行くことに。オリエント急行とは1883年に開通した、ヨーロッパを走る長距離《ちょうきょり》夜行列車。クラシックな観光列車で車窓《しゃそう》の風景、昔ながらのサービスをゆったり楽しむことを目的とするツアーが、さまざまな旅行会社によって組まれている。

38

天才発明家

失敗↓なぜ？

わたしみたいな人間を天才というんだろうな。

このたび、特許庁《とっきょちょう》に出願していた「焼きイモがおいしく焼けるグリル」の特許《とっきょ》を取得《しゅとく》できた。

会社《かいしゃ》を退職《たいしょく》した60歳《さい》から発明に取り組み始めて10年。

わたしは通算30個《こ》もの特許《とっきょ》を取得《しゅとく》したのだ。

独自《どくじ》の技術《ぎじゅつ》を開発しても「特許《とっきょ》」として認《みと》められるのは難《むずか》しいという。

わたしだって70件《けん》ほどは審査《しんさ》を通らず、くやしい思いをしている。だが、それもしかたがない。特許《とっきょ》の審査《しんさ》はきびしい世界なのだ。

これを裏《うら》づける有名な話がある。

1600年代のはじめ、オランダのあるメガネ屋のおじさんが、凹《おう》レンズと凸《とつ》レンズを組み合わせると、遠くのものが大きく見えるのに気づいた。そう、望遠鏡の原理だな。で、おじさんはさっそく「望遠鏡の特許《とっきょ》」を取ろうと申し出たんだが。「これは単純《たんじゅん》な構造《こうぞう》で、だれでも考えつくからダメ」と言われて特許《とっきょ》が取れなかったんだ。特許《とっきょ》っていうのは、オリジナリティが大事なんだな。

30個《こ》も特許権《とっきょけん》を持っているわたしがどれだけすごいかわかるだろう?

それでも「発明家」として食べていくのは難《むずか》しいのだ。

わたしだって——「そんなに特許《とっきょ》を持ってるなんてすごいお金持ちなんでしょ?」って聞かれるけどさ。全然だよ。

謙遜《けんそん》じゃなくてホントの話。

むしろ、特許《とっきょ》を取れば取るほどビンボーになる一方だ。

まあ、いつか……正真正銘《しょうしんしょうめい》「オレだけの財産《ざいさん》」である特許《とっきょ》が、何億ものお金を生むと信じてるけどな。

主人公は30もの特許権《とっきょけん》を持っているのに、なぜもうかっていないのだろうか。

解説《かいせつ》

特許《とっきょ》を取得《しゅとく》できても、それが人に必要とされ、活用されなければお金にならないからだ。たとえば企業《きぎょう》と、特許《とっきょ》の使用を許可《きょか》する「ライセンス契約《けいやく》」を結べば、大ヒット商品にならなかったとしても「契約料《けいやくりょう》」が入る。だが、ただ「特許権《とっきょけん》」を持っているだけでは何も生まない。ぴったりな企業《きぎょう》に売りこむ才能《さいのう》も必要なのだ。しかも、特許《とっきょ》を出願するには「審査料《しんさりょう》」がかかる。めでたく取得《しゅとく》できても、特許権《とっきょけん》を持ち続けるには毎年更新料《こうしんりょう》をはらわなくてはならない。たくさん持つほど出費《しゅっぴ》も多いのである。「もうからなくても名誉《めいよ》になる」と満足できるならかまわないのだが……。

ちなみに特許権《とっきょけん》の効力《こうりょく》は原則《げんそく》20年。それ以降《いこう》はだれでも無料で使えるようになる。ちょっとした工夫やタイミングで、売れなかったモノが爆発的《ばくはつてき》に売れることもある。個人《こじん》の発明からヒット商品が生まれ、多額《たがく》の特許料《とっきょりょう》を得《え》るケースはたくさんあるので、この主人公にもめげずにがんばってほしいものだ。

39

10円玉貯金《ちょきん》

成功→なぜ?

「ぶえっくしょい!」

盛大《せいだい》にくしゃみをして、兄ちゃんはマンガ雑誌《ざっし》を投げ出した。

「おい、ハルキ。あんまりホコリをたてるなよ。」

「ごめん。でも、しょうがないよ。ずっとほったらかしだったんだから。」

おじいちゃんの家を取りこわすから片《かた》づけに行くと聞いたとき、ぼくは真っ先に「行きたい!」と名乗りを上げた。ここに来たのは5年前、おじいちゃんのお葬式《そうしき》のとき以来だ。あのとき、ぼくはまだ7歳《さい》だったけど、古い珍《めずら》しいものがいっぱいあって退屈《たいくつ》しなかったのを覚えてたから。

母さんや父さんは古いものに興味《きょうみ》がないから、なんでも捨《す》てたがる。「手伝い」と言いつつ、ぼくは何かおもしろいものが見つかるのを期待してたんだ。おじいちゃんの中学や高校の校章とか、カッコいいデザインのこわれたうで時計《どけい》なんかを見つけるたびに母さんのところに走って、もらっていいか許可《きょか》をとる。

「おまえも変わってるよな、そんなガラクタが好きなんて。」

兄ちゃんはそう言いながらも、ぼくが押《お》し入れからあれこれ掘《ほ》り出しているのが気になり始めたみたいだ。

「あ！」

ぼくがほこりだらけの木箱から取り出した小ビンには硬貨《こうか》がぎっしり詰《つ》まっていた。兄ちゃんが後ろからのぞきこむ。

「お、金じゃん⁉　全部10円玉っぽいけど。」

兄ちゃんは急に元気になってビンをうばい、たたみの上にあける。２人で数えてみると、10円玉は全部で92枚《まい》あった。

「これ、山分けな。」

え、ぼくが見つけたのに。

それに兄ちゃん、まったく片《かた》づけしないでマンガ読んでただけじゃん。

と、言いたかったけど、ケンカになったらかなわないからなぁ。

年は1つしかちがわないけど、兄ちゃんは体がでかいんだ。

「うん。いいよ。一応《いちおう》母さんに聞いてくるよ。」


「兄ちゃん、それ、もらっていいって。」

兄ちゃんは「よし！」と言って10円玉に手を伸《の》ばす。

「あ、待って。」

ちょっと思い出したことがあったんだ。

「たしか、古いお金で価値《かち》があるやつがあるんだよね。」

「マジか!?」

兄ちゃんの目がギラッと光る。

しまった。よけいなこと言わなきゃよかったなぁ。

「いや……よく知らないけどね。」

ごまかしたけど、おそかったか。

「おまえ、変なことにくわしいからな。これは昭和38年。これは昭和43年か……古いほど価値《かち》があるのかな？」

兄ちゃんは黒ずんだ10円玉を一枚《まい》一枚《まい》つまんで、発行年をチェックしている。

「うーん、どうかなぁ。」

とぼけるのはどうも苦手だ。

兄ちゃんは疑《うたぐ》り深いまなざしで言った。

「おまえ、高く売れる年を知ってて、自分だけ得《とく》しようと思ってないか？」

「知らないってば。じゃあさ、目をつぶって交互《こうご》に1枚《まい》ずつ取ることにしたら？そこまでするのもばかばかしいけど、兄ちゃんがそんなに疑《うたが》うんならさ。」

「わかった。それでいこう。」

兄ちゃんは「どうせなら厳正《げんせい》にやろう」と、タオルを出してきてお互《たが》いにしっかり目かくしをした。

ぼくたちはそれで、公平に46枚《まい》ずつ分けたんだ。

もちろん発行年は見えない。文字が浮《う》き彫《ぼ》りになってるといっても、指でさわっただけじゃ読み取れないからね。

結果的には――ぼくはちょっとだけ得《とく》をした。まあ、ほんのちょっとだけどね。

主人公は価値《かち》のある10円玉の条件《じょうけん》を知っていたようだ。その条件《じょうけん》とは何だろうか。目隠《めかく》しをした状態《じょうたい》なのにどうやって選んだのだろうか。

解説《かいせつ》

古銭《こせん》の価値《かち》は、状態《じょうたい》のよさと発行年が重要だ。10円玉の場合、コレクターの間では「ギザ十」と呼《よ》ばれるものの人気が高い。今の100円硬貨《こうか》のようにふちにギザギザがあるものだ。ギザ十は1951（昭和26）～1958（昭和33）年の間しか発行されていないので、希少価値《きしょうかち》がある。主人公は慎重《しんちょう》に10円玉のふちをつめの先で確《たし》かめ、この中に5枚《まい》だけあったギザ十を選び取ったのだ。

古銭《こせん》を専門《せんもん》に扱《あつか》う業者では、状態《じょうたい》がきれいで発行年が珍《めずら》しいギザ十なら、数万円で買い取ることもあるという。ただし、それはかなりまれなケース。ふつうに使われていた10円玉は酸化《さんか》して黒ずんだり、すりへったりしているもの。鑑定《かんてい》してもらっても、10円でしか買い取ってもらえない場合が多い。18歳《さい》未満では鑑定《かんてい》ショップに物を売ることはできないので、主人公はいとこに同行を頼《たの》んで鑑定《かんてい》ショップに持ちこんだが、たった1枚《まい》、30円の買取値《かいとりね》がつく結果に終わった。つまり、20円だけもうけたのである。

40

少年探偵《たんてい》ポロロと名探偵《めいたんてい》ホームズ

成功↓なぜ？

「シャーロック・ホームズって、すごい探偵《たんてい》なんだね。ポロロくん、この人のことを書いた本、ほかにないの？」

『シャーロック・ホームズの冒険《ぼうけん》』を手に、アーサーは目をキラキラさせている。

「一番上の段《だん》に全部そろってるよ。」

本棚《ほんだな》を指さしながら、ぼくはちょっとあきれていた。

天才少年探偵《たんてい》であるぼくの助手のくせに、これまで「シャーロック・ホームズ」を読んだことがなかったとはね。

「アーサー、誤解《ごかい》してるかもしれないから言っておくけど、シャーロック・ホームズは架空《かくう》の人物だよ。ホームズの助手のワトソンが『本当にあった事件《じけん》のことをつづった』みたいに書かれてるけど。」

「なーんだ。これ、小説だったのか。でも、作り話だとしてもホームズの推理《すいり》はすごく勉強になるよ。」

「シャーロック・ホームズ」には密室《みっしつ》トリックや暗号、ダイイング・メッセージなど、いろんなパターンの謎解《なぞと》きが出てくる。

警察《けいさつ》でも解《と》けない難事件《なんじけん》を、ホームズが鋭《するど》い観察力と天才的な推理力《すいりりょく》で解決《かいけつ》する
――推理《すいり》の教科書みたいな小説だ。

それに、なんといってもホームズのキャラクターが魅力的《みりょくてき》なんだよね。

ひょろりとやせて背《せ》が高く、つねに冷静。

トレードマークはチェックの帽子《ぼうし》とパイプ。

ひまさえあれば化学実験にはげんでいる。かと思えばバイオリンの名手で、フェンシングや武術《ぶじゅつ》の心得《こころえ》もあったりする。

ホームズは、天才肌《てんさいはだ》で変人ぽい。一方、ホームズの相棒《あいぼう》で、物語の語り手である

ワトソンは好奇心《こうきしん》おうせいで大らか。こんな2人のコンビネーションも読んでて楽しいところだ。

ぼくは、むじゃきな顔のアーサーをまじまじとながめた。やっぱりアーサーは、ワトソンに近い人間だ。ぼくは……まちがいなくホームズだけど。

「作者のコナン・ドイルは実際《じっさい》の犯罪事件《はんざいじけん》の解決《かいけつ》にも関わったんだ。犯人《はんにん》とまちがえられて逮捕《たいほ》された人の無実を晴らしたこともあるそうだよ。」

アーサーは、くるりと目を動かした。

「っていうと……コナン・ドイルは探偵《たんてい》だったの？　刑事《けいじ》？」

「いや、そうじゃない。それは推理《すいり》小説家として有名になった後の話だ。コナン・ドイルは、もとは医者だったんだよ。ホームズにはモデルがいて——ドイルが医学生時代にならった外科医の先生だったそうだよ。その先生は診察《しんさつ》するとき、患者《かんじゃ》の持ち物やしぐさを観察して、職業《しょくぎょう》や暮《く》らしぶりをズバリ言い当てていたんだって。」

「うわぁ、まさにホームズといっしょだね。あこがれるなぁ。それにしても、ドイルは小説家になって大正解《だいせいかい》だったんだね。」

「医者になったものの患者《かんじゃ》が来なくてヒマすぎて、副業で小説を書き始めたんだって。本当は歴史《れきし》小説が書きたかったんだけど、『ホームズ』のシリーズが爆発的《ばくはつてき》に売れたわけだ。」

アーサーは本をパラパラとめくった。

「そうかぁ。ドイルは自分を人気作家にしてくれたシャーロック・ホームズを書くのが楽しくてたまらなかっただろうね。」

「いや、それがね。ドイルはとちゅうでホームズがきらいになったらしいよ。でも――そのおかげで、さらにもうかることになったんだから人生っておもしろいもんだよね。」

「作者なのにホームズがきらいだったの？　で、そのせいでもうかったって……？」

「意味がわからない」といった顔で眉《まゆ》をひそめているアーサーに、ぼくは笑いかけた。

「アーサー、ぼくの言葉の意味をよく考えてみたまえ。これがわからないようじゃ、名探偵《めいたんてい》への道は遠いぞ？」

ドイルは、大ヒット作の主人公であるホームズがきらいになったからこそ、さらにもうかることになったという。この言葉の意味を推理《すいり》してほしい。

解説《かいせつ》

ドイルは「シャーロック・ホームズ」シリーズが売れたため小説家として一本立ちできた。とはいえ、本当は歴史《れきし》小説を書きたいのに、出版社《しゅっぱんしゃ》が求めるのはホームズばかり。おかげでドイルはしだいにホームズがきらいになってしまったが、出版《しゅっぱん》社《しゃ》や読者から「ホームズを復活《ふっかつ》させろ」としつこく要望を受け続けた。

そこで8年ぶりにホームズものの長編《ちょうへん》を書くにあたり、ドイルは出版社《しゅっぱんしゃ》にこれまでの倍の原稿料《げんこうりょう》を求めたのだ。無茶な要求に見えたが、出版社《しゅっぱんしゃ》はそれを喜《よろこ》んで支払《しはら》い、読者も大喜《おおよろこ》び。気をよくしたドイルはさらに2年後、短編《たんぺん》1本につき約3500ポンド（現在《げんざい》の約3000万円）で契約《けいやく》を結んだ。原稿料《げんこうりょう》がここまではね上がったのは、ホームズの人気が高かったのに、作者がこれだけ書きしぶった結果である。

アーサー・コナン・ドイルはイギリスの小説家。1887〜1927年にわたり書かれた「シャーロック・ホームズ」のシリーズは今も世界中で愛され続けている。

41

秘密《ひみつ》のお金

大金↓なぜ？

ハンガリーのとある町にて。

ダニエルは、クリストフの姿《すがた》が見えるとうれしそうに手をふった。

広い公園のかたすみの——背《せ》の高い木のふもとの草むらは、この8歳《さい》の少年たちの「ひみつの場所」だ。何か大事な用があるときは、ここで会うことになっている。

「ぼく、うちのすごい秘密《ひみつ》を知っちゃってね」

2人並《なら》んでこしかけると、ダニエルはもったいぶった言い方をする。

「なんだよ。何があったんだ？」

クリストフが前のめりになると、ダニエルはまわりにだれもいないことを確《たし》かめるためにあたりを見回した。

「ぼくんち、実は……ものすごい大金持ちだったんだ。」

「へえ。なんでわかったの？」

クリストフは何度もダニエルの家に遊びに行っている。だが、特にお金持ちの家っぽいと思ったことはなかった。

「きのう、ひいおばあちゃんの部屋《へや》で昔の写真を見せてもらってたのさ。ひいおばあちゃんが、子どものころの。」

クリストフは、ダニエルのひいおばあちゃんに一度会ったことがある。87歳《さい》と思えないくらい元気そのもの。背《せ》すじはピンとして、話し方もキビキビしている。

「そしたらさ……写真がしまってあった引き出しから、すごいお札が1枚《まい》出てきたんだよ。あんな金額《きんがく》のお札、見たことない。」

「え、いくらの？　2万フォリントよりすごいお札なんてあるの？」

クリストフは首をかしげた。ハンガリーの通貨は「フォリント」という。現在《げんざい》、一番高額《こうがく》のお札は2万フォリント（日本円で7000円くらい）である。

「ハンガリーで、フォリントの前に使われてた『ペンゲー』のお札なんだけどね。1垓《がい》ペンゲー札なんだ。」

「1垓《がい》？　それ、なんだ？」

ダニエルは、ひいおばあちゃんから教わってあったのでスラスラと説明した。

『垓《がい》』は数の単位だよ。一、十、百、千、万、億、兆。ここまでは知ってるだろ？」

「うん。それ以上ってあるの？」

「兆の次が『京《けい》』、その次が『垓《がい》』だ。垓《がい》は1億×1兆なんだって。」

兆の1万倍が京《けい》、京《けい》の1万倍が垓《がい》である。

「う～ん。大きすぎてイメージわかないなぁ。」

「数字で書くと、こうなるよ。」

ダニエルは木の枝《えだ》を拾うと、地面に数字を書き始めた。

100000000000000000000ペンゲー

クリストフは息をのんだ。

「すごい！　そんなお札あるの？　おもちゃのお金じゃないだろうね？」

「ううん。本当に使われてたお札だって。１９４６年に発行されたって言ってたよ。」

「そうなのかぁ……。」

だが、クリストフはどこか納得《なっとく》がいかない気持ちだった。

「でも、それ１枚《まい》だけ？　ほかに札束とかなかったの？」

クリストフがたずねると――。

ダニエルは「待ってました」と言わんばかりの顔をしたのである。

「つまりね。１垓《がい》ペンゲーがあれば、それ以下のお札なんてかさばってジャマなだけだったんだ。ひいおばあちゃんによればね、『１万ペンゲー以下のお札はよく庭で燃《も》やしてた』って。」

「お金を燃《も》やしたって？　本当に？」

「うちのひいおばあちゃんはウソはつかないよ。」

クリストフはゴクリとつばをのんで、うなずいた。

「でさ、ひいおばあちゃんは、ぼくに１垓《がい》ペンゲー札をくれるっていうんだ。大人になったら。」

それから2人は、大人になって「1垓《がい》ペンゲー」を手にしたとき、何を買うべきかを2時間ほど話し合ったのだ。

「1垓《がい》」などという額《がく》のお札は本当にあったのだろうか。

解説《かいせつ》

1垓《がい》ペンゲー札はハンガリーで実際《じっさい》に使われた、世界の歴史上《れきしじょう》一番高いお金。10垓《がい》ペンゲー札も準備《じゅんび》されたが、発行はされなかったという。こんな高額《こうがく》なお札が生まれたのは、第二次世界大戦後のハンガリーで物価《ぶっか》が急激《きゅうげき》に上昇《じょうしょう》する「ハイパーインフレ」が起こったため。戦後、国を立て直すために政府《せいふ》が大量にお金を発行したことが原因《げんいん》だ。市場にお金を増《ふ》やしすぎたために物の値段《ねだん》も上がってしまったのだ。ふつうのインフレでは物の値段《ねだん》がじわじわ上がっていくが、このハイパーインフレでは、朝に500円だったパンが夕方には倍の1000円になるくらいのスピードで物価《ぶっか》が上昇《じょうしょう》した。「1000円の価値《かち》」が1日で変わってしまうほどの状況《じょうきょう》だ。どんどん高額《こうがく》のお札が作られるとともに低額《ていがく》のお札は価値《かち》がなくなって燃《も》やされることがあったという。1946年の8月に新通貨の「フォリント」が導入《どうにゅう》され、経済《けいざい》は安定に向かった。ちなみにペンゲーは廃止《はいし》された通貨なので、お札が残っていても現在《げんざい》使うことはできない。

42

最高級ホテル

失敗→なぜ？

最高級ホテルなんてオレに似合《にあ》わない？

そんなことわかってるけどさ、一度くらい泊《と》まってみたくて奮発《ふんぱつ》したんだよ。初めてのヨーロッパ旅行に向けてがんばって貯金《ちょきん》してきたからね。

最高級ホテルに泊《と》まるのもイベントのうち。「一晩《ばん》だけのお金持ちごっこ」だね。もちろんほかのお客はホンモノのお金持ちばっかだろうから、浮《う》かないようにちゃんといい服を用意していったよ。兄ちゃんの借り物だけどね。

ホテルに入ると、すぐにズラッと金ボタンがついた服を着たボーイが近づいてきてオレの荷物を受け取り、ロビーに誘導《ゆうどう》してくれた。

なんか緊張《きんちょう》したよ。「こっちはお客だから堂々《どうどう》としてないと」と思ったけど、慣《な》れないものはしょうがない。

で……さすがは最高級ホテル。部屋《へや》までボーイが案内してくれるんだよな。

通された部屋《へや》はすごかったねぇ。

わかっちゃいたけど――広い！　天井《てんじょう》も高い！

ベッドがデカい！

バルコニーも広い！

見晴らしが最高！

アホみたいな感想だけど、正直なところだ。

ソファーにしても、クッションやスタンドにしても何もかも豪華《ごうか》で。

シャンデリアとかカッコよく生けられた花とか、これまためちゃくちゃ広いバスルームとかすみずみまで写真を撮《と》りまくって。クロゼットやテーブルの引き出しを開けまくって――いやいやここで過《す》ごすのが目的で来たのにいきなり写真ばっか撮《と》ってるなんて貧乏《びんぼう》くさすぎだろと思いながらね。

ソファーに座《すわ》って、雰囲気《ふんいき》をじっくり楽しむことにしたけど、手持ちぶさたでしょうがない。広すぎて落ち着かないんだよ！

スーツケースに入れてあったパンを取り出したんだけど、こんなホテルに泊《と》まっておいてスーパーで買ったパンをかじってるなんてありえない。

ホテル内のレストランに行こうかと思ったけど、思いついてルームサービスを取ることにした。この部屋《へや》でゆっくり過《す》ごせるから、ちょうどいいと思ってね。

もちろん料理も最高だったよ。

だけど、ちょっとイヤな思いもした。

ルームサービスを運んできた従業員《じゅうぎょういん》が、料理を給仕したあとにオレの顔を無言で見てくるんだよ。ジーッとね。まさか食べ終わるまで部屋《へや》にいるもんなのか？

こっちも見つめ返すと……彼《かれ》が右手を少し差し出していたんで「あぁ、そういうことか」と思ってね。オレは彼《かれ》の右手を取り、強く握手《あくしゅ》した。

それで、「ありがとう、帰っていいですよ」って言ったら、ニヤニヤしてからプイッと顔をそむけて出ていったんだ。あれ、感じ悪かったな。オレの英語の発音が悪かったのを笑ってたんだろうな。

考えてみりゃ、ベルボーイも荷物を運んでくれたボーイもそうだった。やたらジーッと見て、ニヤニヤ笑いをしてた。


きわめつけは次の朝だ。

ホテルのレストランに朝食をとりに行ったら、すみっこの暗い席に案内されたんだ。

外から明るい光がさしこむ席はいっぱい空いてるのに。オレだけほかのお客から隔離《かくり》されてるみたいにさ。

金持ちの世界ってイヤだね。もっと安いふつうのホテルじゃ、こんな思いをすることはなかったからな。

しょせん高級ホテルは金持ちのお客だけを優遇《ゆうぐう》する方針《ほうしん》なんだ。

そう思わない？

「いや、そうは思わないな。」

ここまで話をだまって聞いていたヤジマは、オレに同調すると思っていたんだが。

ヤジマは言ったんだ。

「だって『郷《ごう》に入っては郷《ごう》に従《したが》え（よその土地や環境《かんきょう》では、そこの習慣《しゅうかん》に従《したが》うのがよい）』って言うだろ？　おまえも悪かったよ。」

オレは精《せい》いっぱいがんばったのに。変なことは何もしてないはずだけど……？

ヤジマは「主人公のふるまいは最高級ホテルに合わなかった」と言う。いったい何がいけなかったのだろうか。

解説《かいせつ》

まずかったのは、主人公がチップを払《はら》わなかったことだ。チップとは、サービスに対して払《はら》うお金のこと。海外の高級ホテルでは常識《じょうしき》とされる。金額《きんがく》は一番安いお札1枚分程度《まいぶんていど》が相場だ。部屋《へや》を出るときには、そうじやベッドメイクをする従業員《じゅうぎょういん》のためにまくらの下にチップを置いておく。主人公はベルボーイやルームサービスを運んできたホテルマンにチップを渡《わた》さなかったので「ホテルの格式《かくしき》に見合わないマナーの悪い客」とみなされた。そのため、レストランですみっこの席に追いやられてしまったのだ。

「チップ」の習慣《しゅうかん》は国によって、また時代によって移《うつ》り変わる。失敗しないためには、その国ではチップが必要か、いくらわたせばいいか、旅行会社の人などに聞いておくといい。

日本では、最高級のホテルでもチップは不要。あらかじめ宿泊費《しゅくはくひ》にサービス料が加算されているためだ。

43

経営《けいえい》の神様

成功↓なぜ？

1964（昭和39）年。

東京オリンピックを3か月後にひかえたある夏の日――。

松下幸之助《まつしたこうのすけ》はぶあつい報告書《ほうこくしょ》の束をめくりながら、深いため息をついた。

（売り上げは下がってきている。このままにしておくわけにはいかないな。）

幸之助《こうのすけ》は、松下《まつした》電器産業《さんぎょう》（現在《げんざい》のパナソニック）の創業者《そうぎょうしゃ》である。

自ら電気ソケットや自転車用の電池ランプを考案し、初めて会社《かいしゃ》をつくったのは1918（大正7）年、23歳《さい》のときだ。当時、社員は幸之助《こうのすけ》のほかにたった2人。

だが、幸之助《こうのすけ》は便利な電気器具を次々《つぎつぎ》に開発し、ヒット商品を生み出して会社《かいしゃ》を大きく成長させていく。

一流企業《きぎょう》を築《きず》きあげた幸之助《こうのすけ》は3年前に社長を退《しりぞ》き、今では会長となっている。日本を代表する会社《かいしゃ》を育てた幸之助《こうのすけ》は「経営《けいえい》の神様」と呼《よ》ばれており、日本中から講演《こうえん》や取材に引っぱりだこだったが――。


1960年代、日本は高度経済成長期《こうどけいざいせいちょうき》のまっただ中にあった。

1945（昭和20）年に終結した太平洋戦争で、日本は大きなダメージを受けた。だが、その後、日本はめざましい発展《はってん》をとげる。工業が発達し、自動車は増《ふ》え、高速道路が整備《せいび》される。1964年に東京オリンピックが開催《かいさい》されることが決まると、これに向けて新幹線《しんかんせん》の開通準備《じゅんび》が進んだ。人々《ひとびと》の暮《く》らしも大きく変化した。白黒テレビ、冷蔵庫《れいぞうこ》、洗濯機《せんたくき》が「三種の神器《じんぎ》」と呼《よ》ばれ、家庭に急速に広まった時代である。幸之助《こうのすけ》の会社《がいしゃ》もずいぶんもうかったが、ブームには終わりがある。みんなが「あこがれ」だった家電製品《かでんせいひん》をある程度《ていど》そろえてしまうと、売れ行きは目に見えて下がったのだ。

（今の状況《じょうきょう》をほうっておいたら、取り返しのつかない事態《じたい》になるかもしれない。）

幸之助《こうのすけ》は決心すると、電話に手をのばした。

（我《わ》が社の製品《せいひん》を扱《あつか》う販売店《はんばいてん》の経営《けいえい》が苦しくなっているのは、数字に表れている。だが、数字だけではわからないこともある。実際《じっさい》に、現場《げんば》の人はどう思っているのかを知らなければ。）

幸之助《こうのすけ》は、全国の販売会社《はんばいがいしゃ》や、自社製品《せいひん》を扱《あつか》う代理店の社長たち全員に「会合に出席を願いたい」という案内状《あんないじょう》を出したのである。

「経営《けいえい》の神様がじきじきに招集《しょうしゅう》をかけるとは、ただごとではない。」

そして当日。熱海《あたみ》に用意された会場に集まった200人あまりを前に、幸之助《こうのすけ》はこう切り出したのだ。

「この会合は、結論《けつろん》が出るまで何日でもやります！」

つまり――幸之助《こうのすけ》は、納得《なっとく》するような話し合いができないうちは、みんなを帰さないというのだ。

めだ。

「なんだって⁉」

会場はどよめいた。幸之助《こうのすけ》の本気は、会場の設営《せつえい》にも現《あらわ》れていた。参加者の椅子《いす》が前の列と重ならないように並《なら》べられているのは、幸之助《こうのすけ》から全員の顔が見えるためだ。

（この人は、本気で全員と「話し合い」をしようとしているのだ。）

本音を言わなければ話が進まないので、参加者は「経営《けいえい》の神様」相手に、日ごろ不満に思っていることをぶつけ始めた。

「松下《まつした》の社員は、われわれ販売店《はんばいてん》の立場になって考えることを忘《わす》れていませんか？」

「同じ地域《ちいき》にいくつか販売店《はんばいてん》があるのだから、売れなくなるのもしかたないですよ。」

幸之助《こうのすけ》も「赤字が続いているのは売ろうとする努力が足りないのではないか」「どこか甘《あま》えた姿勢《しせい》があるのではないか」など、きびしい言葉をのべる。

会議が３日目に突入《とつにゅう》しても、議論《ぎろん》は平行線をたどっていた。かんたんに言えば、お互《たが》いに「そっちが悪い」と言い合っているだけだ。

(収拾《しゅうしゅう》がつかないが、こうなった以上「だれが悪いのか」がはっきりしないまま会議を終わらせることはできない。)

幸之助《こうのすけ》はぐっと顔をあげた。

「みなさんの言い分はよくわかりました。」

しかし、次の一言は驚《おどろ》くべきものだった。

「経営《けいえい》の神様」と呼《よ》ばれ、尊敬《そんけい》されている幸之助《こうのすけ》のまさかの一言に、その場にいた人たちは心を打たれた。そして、同時に、みんな同じことを思ったのである。

(この人についていこう!)


幸之助《こうのすけ》の言葉は、その場にいた全員の心を動かした。幸之助《こうのすけ》はどんな言葉を言ったのか、想像《そうぞう》してみてほしい。

解《かい》説《せつ》

幸之助《こうのすけ》は「わたしが悪かった」と、みんなにあやまったのだ。3日もかけて販売《はんばい》店《てん》の人からたくさんの不満、要望、批判《ひはん》が飛び出した。ならば、「売り上げが落ちた原因《げんいん》は、自分たちにある」と率直《そっちょく》に認《みと》めたのである。「わが社が改めるべきことを改め、その上でみなさんに求めることがあれば求める。心を入れかえて出直すので、どうか協力してください」と涙《なみだ》を浮《う》かべてうったえたのだ。

この後、幸之助《こうのすけ》は販売改革《はんばいかいかく》を打ち立てた。さらに、半年間の間に、２００か所の販売会社《はんばいがいしゃ》を訪《たず》ね、売れ行きが低下した理由や苦情《くじょう》を聞き出した。このとき、「いい話は聞かず、松下《まつした》の悪いところだけを聞いて反省する」ことを徹底《てってい》したという。結果、売り上げは回復《かいふく》し、創業《そうぎょう》以来の業績《ぎょうせき》を上げるにいたった。

松下幸之助《まつしたこうのすけ》は、日本を代表する実業家。家庭の事情《じじょう》から小学校を4年で中退《ちゅうたい》し、働き始めたが、「電器」の将来性《しょうらいせい》に目をつけて起業。世界有数の電器会社を築《きず》きあげるとともに出版《しゅっぱん》活動や社会活動、経営《けいえい》の人材育成にも力を注いだ。

44

伝説の詐欺師《さぎし》

成功→なぜ？

1900年代前期、アメリカにて。

アルビン・クラレンス・トーマスが「タイタニック」というあだ名で呼《よ》ばれたのは、海に沈《しず》んだ豪華《ごうか》客船タイタニック号が由来だった。彼《かれ》はギャンブルの名人で、対戦した相手を必ず沈《しず》めてしまうからである。

アルビンはトランプ、サイコロを使ったギャンブルの名手。加えてゴルフとビリヤードはプロ並《な》みの腕《うで》だ。農家に生まれたアルビンは学校にはほとんど通わず、読み書きもあまりできなかった。だが、遊びながら独自《どくじ》にギャンブルの腕《うで》をみがいていた。16歳《さい》で家を出たとき、ポケットには1ドルしか入っていなかった。だが、すぐにギャンブルでもうけるようになり、母親に家を一軒《けん》プレゼントしたほど――アルビンはとにかく負けない男だった。

つまり、彼《かれ》はインチキの名人でもあったのだ。


アルビンはたまたま出会う人たちと息を吸《す》うように賭《か》けをしては、お金をかせいでいた。相手にするのは彼《かれ》のことを知らない人の方がいい。

たとえば――ある日、アルビンはホテルのベランダでとなりの席に座《すわ》ったビジネスマンと何気なく世間話を始める。

ポケットから出したクルミを割《わ》って食べながら、アルビンはふと思いついたような顔でこんなことを言い出す。

「ここからクルミを投げて、あの5階建てのホテルを越《こ》すことができると思う?」

「まさか。そんなの無理に決まってるだろう?」

「じゃ、賭《か》けようか。ぼくはあのホテルを越《こ》す方に100ドル賭《か》ける。」

「じゃあ、できない方に300ドル賭《か》けようじゃないか。」

「よし、賭《か》けは成立だ！」

アルビンが腕《うで》をグルグル回し、ポケットから出したクルミをポーンと投げると――クルミは通りの向こうのホテルの上を完全に通過《つうか》していく。実は、あらかじめ中に鉛《なまり》をしこんだクルミを用意してあったわけだ。


またあるとき、アルビンはゴルフコースに現《あらわ》れる。

（ここにはお金持ちがうようよいるからな！）

アルビンは金持ちそうな男に声をかけて試合をするが、ヘタクソなゴルフ初心者をよそおって負けまくる。

もちろんこれは賭《か》けを持ち出すための下準備《したじゅんび》だ。

「負けっぱなしでくやしいなぁ。ねえ、次はお金を賭《か》けて試合をしませんか？　次こそ絶対《ぜったい》に勝ってみせますから！」

「ははは。きみは負けずぎらいだなぁ。いいよ、賭《か》けようじゃないか。」

(しめた。ガッポリかせいでやるぞ。)

アルビンは後ろを向いてペロリと舌《した》を出す。そして、ここからの演技力《えんぎりょく》も大事なのだが――目も当てられないほどヘタクソだったのが、プレー中に急激《きゅうげき》に上達したようなふりをして、ギリギリの接戦《せっせん》で相手を負かしてしまう。

「いやぁ、びっくりした。まさかぼくが勝っちゃうなんて申し訳《わけ》ないなぁ。もしかして、ぼくってゴルフの才能《さいのう》があるのかな?」

すまなそうに賭《か》け金を受け取るが、彼《かれ》の作戦にはまだ続きがある。

「あの、もうひと試合しませんか?」

「うむ……。」

相手はくやしそうにしているが、また金をまきあげられるのはいやなので考えこんでいる。

「じゃあ、ぼくにハンデをつけることにしましょう。次の試合では、ぼくは左手でしか打たないってことにしたらどうです? あなたが勝ったら、今の負け金はなし。そのかわり万が一ぼくが勝ったら、さっきの倍の賭《か》け金をもらうってことで。」

「よし、やろう！」

相手は、さすがにこの条件《じょうけん》で自分が負けるはずはないと思いこんだ。勝てばさっきの負けが帳消しになるのだし――。

ところが、この試合でもアルビンは勝ってしまったのである。

約束通り大金をせしめたアルビンは、背中《せなか》から聞こえてくる「この詐欺師《さぎし》め～っ！」というさけび声にも表情《ひょうじょう》ひとつ変えず、意気ようようと去っていったのだ。

アルビンはなぜこの賭《か》けに勝てたのだろうか。

解説《かいせつ》

アルビンはもともと左ききだったのだ。

アルビン・クラレンス・トーマスにはたくさんの逸話《いつわ》が残されているが、彼《かれ》が得《とく》意《い》としたインチキは、あらかじめ自分が優位《ゆうい》に立てる状況《じょうきょう》をしこんでおくことだ。アルビンがこれらの賭《か》けをした時代は、「詐欺《さぎ》」というよりは「インチキ」と呼《よ》ばれていたようだが、もめごとになったことは一度や二度ではないはず。現代《げんだい》では、もちろんお金の賭《か》けは違法《いほう》である。

賭《か》けごとをしながら旅をしていたアルビンは、晩年《ばんねん》にはカジノ（スロットやカードゲーム、ルーレットなどを備《そな》えた施設《しせつ》）で有名な街、ラスベガスで過《す》ごすことが多かったが、ギャンブルのルールが整備《せいび》されたこの地では「インチキ」をやり通せず、勝てなくなったという。死のまぎわの財産《ざいさん》は400ドル（当時の日本円に換算《かんさん》して約12万円）ほどだったそうだ。どんな人間でも、永遠《えいえん》に勝ち続けることは不可能《ふかのう》なのである。

45

紅《こう》葉《よう》の不思議

成功→なぜ？

1970年代初頭。

文具メーカーに勤《つと》めるN《エヌ》氏は、うっとりと紅葉《こうよう》に見とれていた。ここは何千本もの木々《きぎ》が赤や黄色に染《そ》まる紅葉《こうよう》の名所である。

（ちょっと前まで緑だった木の葉がこんなふうに変化するなんて不思議だなぁ。たしか色が変わるのは、気温が下がることが関係しているんだよな。）

美しい風景をながめるときも科学的な視点《してん》を忘《わす》れないのは、技術者《ぎじゅつしゃ》ならではだ。

しかも、N《エヌ》氏は新しい研究のネタを探《さが》しているところだったのだ。

（この色の変化を、ビーカーの中で再現《さいげん》できないだろうか。）

N《エヌ》氏はさっそくこの研究に着手する。そして、わずか1年ほどで、温度によって色が変化するインクを作ることに成功したのだ。

このインクの特許《とっきょ》を得《え》たのは1975（昭和50）年のことである。

しかし、悩《なや》みはインクの色が変化してもすぐ元の色にもどってしまうことだった。

（これじゃ、筆記用具には使えないな。）

そこで、当初はほかの商品に応用《おうよう》することになった。熱いお湯を注ぐと絵が浮《う》かびあがるマグカップなどが商品化された。

N《エヌ》氏はその間も「色が変化した状態《じょうたい》を記憶《きおく》させておく」研究を続けていた。

そして、長い時間を経《へ》て研究を完成させ——2002年に、温度によって色が変わるボールペン「イリュージョン」が発売されたのである。

「イリュージョン」は、それほど売れたわけではなかった。だが、この「イリュージョン」を手にしたある人の言葉が新たな道を開く。

「このペンは黒のインクから別の色に変化するけど……黒のインクが透明《とうめい》のインク

に変わるようにできないのかな？」

（なるほど。紅葉《こうよう》を見て、黒いインクが他の色になったら楽しいと思ったけど――色を変化させることにはそういう可能性《かのうせい》もあったんだな。）

この提案《ていあん》を実現《じつげん》するため、N《エヌ》氏はさらに開発にはげんだ。

そして、後に発売されたペンは大ヒット商品となったのである。

N《エヌ》氏が生み出した大ヒット商品とはどんなものだろうか。

解説《かいせつ》

パイロットコーポレーションから発売された消えるボールペン「フリクションボール」である。フリクションボールで書いた文字は、専用《せんよう》ラバーでこすると摩擦《まさつ》による熱で消える。これは、鉛筆《えんぴつ》で書いた字を消しゴムで消すのとはまったくちがう仕組みだ。フリクションボールの場合は、正確《せいかく》にいうと「消える」のではなく「透明《とうめい》な色のインクに変化させて見えなくしている」のである。

「インクを透明《とうめい》に変えることはできないか？」と言ったのは、ヨーロッパにあるグループ会社《がいしゃ》のマーケティング担当者《たんとうしゃ》だった。フリクションボールは日本にさきがけて2006年にヨーロッパで発売して大人気を博した。この結果を得《え》て、翌年《よくねん》に日本で発売されると爆発的《ばくはつてき》ヒット。今では消える蛍光《けいこう》ペン、消える色鉛筆《えんぴつ》など多彩《たさい》なシリーズが展開《てんかい》されている。

46

気まぐれな大富豪《だいふごう》

失敗→なぜ？

1900年代初頭、アメリカのとある町にて。

ひと仕事終えたタッカーは夕食をすませると、なじみの酒場に出かけた。

タッカーは週に2回くらいはこの店にやってくる。顔を合わせるうちに親しくなった仲間としゃべったり、ときにはおごりあったりするのもいい。

そうでなければ、新聞のスポーツ欄《らん》を読みながら一人で一杯《いっぱい》やるのも気に入っていた。

その日は知り合いがいなかったので、タッカーは一人でぽつんとカウンターに座《すわ》っていた。新聞におもしろそうな記事もないのでぼちぼち帰ろうかと思ったとき。

「ここ、いいですか？」

かっぷくのいい男が、ニコニコしながらとなりの席を示《しめ》したのだ。

「どうぞ。」

タッカーが言うと、男はタッカーのグラスを指し「この方にお代わりを」とバーテンダーに告《つ》げる。

タッカーは、男をじろじろながめた。見たことのない顔である。

「なに、ほんのお近づきのしるしですよ。わたしはドナルド・コックス。実はこの近くの町に、大きな遊園地を建設《けんせつ》することになっていてね。今日は建設《けんせつ》業者と最終的な打ち合わせをしてきたところなんです。わたしと乾杯《かんぱい》してもらえませんか？」

「もちろん。」

男は上質《じょうしつ》な生地《きじ》の仕立てのいいスーツを着ている。タッカーに差し出したタバコも高級品だし、どこから見ても金持ちそうだ。それでいて、彼《かれ》は気取りがなく楽しい話し相手だったのでタッカーは悪くない気分だ。

しばらくして、店にこれまたこぎれいな身なりの紳士《しんし》が入ってくると、コックス氏は「ちょっと失礼」と席を立った。その紳士《しんし》と同じテーブルについたコックス氏は、ときどきタッカーの方をちらちら見ながら話している。

(何かオレのことを言ってるのかな。)

タッカーが気にし始めたとき、その紳士《しんし》がタッカーの方にやってきて自己紹介《じこしょうかい》をした。カールソンと名乗った男は、コックス氏の秘書《ひしょ》だという。

「コックス氏はあなたのことがとても気に入ったそうです。それで今度着工する遊園地の近くの、あまっている土地の一部をあなたに無料でお分けしたいと言っています。」

タッカーは目を丸くした。カールソン氏の背後《はいご》で、コックス氏がウインクするのが見えた。

「無料で……だって?」

カールソン氏は、まゆをひそめて小声になる。

「はい。驚《おどろ》かれたと思いますが、あの方はときどきこんな気まぐれを起こすんですよ。きげんがいいと、やたらと人にプレゼントしたがるんです。コックス氏の財産《ざいさん》は増《ふ》える一方ですからね。実はあなたのほかにも何人かに土地をさしあげることになっていましてね。もちろん彼《かれ》が気に入った人だけですよ。」

（ついにオレにも幸運がめぐってきたか。）

願ってもない話だった。タッカーはいつか自分で商売をしてみたいと思っていた。無料で土地がもらえて、人が集まる施設《しせつ》の近くならいうことなしだ。

「この話は秘密《ひみつ》にしておいてください。『わたしにも土地をくれ』という人に押《お》しかけられては困《こま》りますからね。そうそう、土地の名義《めいぎ》（持ち主の名前）の変更《へんこう》だけはご自分でやっていただかなくてはいけません。ええと、登録はこちらの役場で、担当者《たんとうしゃ》の名は……。」

カールソン氏は、コックス氏名義《めいぎ》の土地の権利書《けんりしょ》や役場の地図を取り出して説明をする。

「本当に、無料でもらえるのかい？」

「ええ。登録料だけは必要になりますが。すでに、登録をすませた方もいらっしゃいます。なんなら役場で聞いてくださってもかまいませんが。」

「いや、よくわかった。感謝《かんしゃ》します!」

タッカーはさっそく役場にとんでいった。カールソン氏が言ったように、もう登録をすませた人は何人もいるらしかった。登録料は30ドル(現在《げんざい》の価値《かち》で約6万5千円)かかったが、土地代はタダなのだからなんでもない。

タッカーは、まさか自分がだまされたとは気づかなかった。だいぶあとに、その土地を実際《じっさい》に見に行ってみるまでは。

タッカーは酒場で初めて会ったコックス氏、カールソン氏にだまされたようだ。どんな手口だったのか想像《そうぞう》してみてほしい。

解説《かいせつ》

役場で登録できたのだから、土地そのものはちゃんと存在《そんざい》した。だが、近くに遊園地ができるというのはウソ。だだっ広い荒《あ》れ放題の土地で、カールソンがタダ同然で手に入れたものだった。カールソンたちが主人公に声をかけたのは、登録料をまきあげるため。役場に勤《つと》めている担当者《たんとうしゃ》はカールソンのいとこで、本来の登録料の15倍となる、約6万5000円の料金を取っていたのだ。カールソンたちはこの手口で500人以上の人をだまし、約1万6000ドル（現在《げんざい》の価値《かち》で約3500万円）をもうけたという。これは実話をもとにした話。カールソンのモデルは、ジョセフ・ウェイルという大悪人。数々《かずかず》の詐欺《さぎ》を働き、何度も逮捕《たいほ》されたという。「こんな詐欺《さぎ》にひっかかるわけがない」と思っても、もし自分が声をかけられたらどうだろう。SNS《エスエヌエス》などで自称《じしょう》「お金持ち」が「希望者先着100人にお金を配ります」などと言い出すことがあるが、うますぎる話は信用しない方がいい。

47

買いたい気持ち

失敗↓なぜ？

カランカランカランカラン！

赤いはっぴを着た店員がベルを鳴らし、BGM《ビージーエム》の音に負けまいとメガホンを手に声をはり上げる。

「こちらのハワイ生まれのポテトチップス・メガサイズ、いつもは550円のところ今日だけ299円となっております！」

なに⁉　これは買っといた方がいいよな。

人波をかき分けて手をのばし、ポテトチップスをつかむ。クランベリージュースにでっかいベーコンのブロック、工場直送の割《わ》れせんべいの大袋《おおぶくろ》でもうカゴはいっぱいだ。視察《しさつ》に来たっていうのにこんなに買い物するとはな……。

オレは最近、この近くにスーパーマーケットをオープンしたばかりだ。チェーン店に負けない個性《こせい》を出そうと、商品をしっかり選んで並《なら》べている。安い品もあればちょっと高級なものも入れていて——なかなか見ごたえがある店だと思うが、売れ行きが今ひとつなんだ。食材にこだわる目のこえた主婦《しゅふ》にもほめられたことがあるから、品ぞろえには自信があるんだけどな。

そこで、めちゃくちゃ人気が高い食料雑貨《ざっか》チェーン店「ウィリアム・テル」を研究するために来たわけなんだ。

確《たし》かに、この店にいると「買いたい」気持ちがわいてくる。

オレはレジに並《なら》びながら、冷静に理由を考えてみた。

うん、店員の元気のいい声かけで気分が盛《も》り上がるんだよな。「今日かぎり」って言われると、ついその商品を見たくなるし。でも、店員がはっぴを着たりメガホンを持ってるみたいなノリはうちの店には合わないかも？

そのとき、オレは自分が足でリズムをとっているのに気づいた。

もしかして……ヒントはここにあるんじゃないか？

流れているのは、運動会の徒競走でよくかかっていた『ウィリアム・テル序曲《じょきょく》』。アップテンポのこの曲を聴《き》くとワクワクするような、何かにかりたてられるような気分になる――。

そこで、オレはさっそく店のBGM《ビージーエム》を変えてみたんだ。まったく同じじゃまずいから、同じくらいのテンポで、軽快《けいかい》なリズムの曲を選んでね。

ところが――予想に反して、売れ行きはよくなるどころか、よけいに下がってしまったんだ。


BGM《ビージーエム》を変えたところ、悪い方に影響《えいきょう》が出てしまった。何がいけなかったのだろうか。

解説《かいせつ》

BGM《ビージーエム》が人の気持ちや行動に影響《えいきょう》をおよぼすことはよく知られている。特売品をガンガン売るようなタイプの店には速いテンポの曲を大きい音で流すのが合う。お祭りのように気分が高まる効果《こうか》があるのだ。

だが、主人公のスーパーマーケットは、食材にこだわりのある主婦《しゅふ》がゆっくり品を確《たし》かめながら買い物をするタイプ。スーパーやデパートには、ゆったりしたテンポの曲が適《てき》しているのだ。BGM《ビージーエム》に合わせて歩く速度も気分もゆったりし、店内にいる時間が長くなる効果《こうか》が生まれる。そのため、買う品物も多くなり、売り上げも上がるという研究結果が出ているのだ。

主人公は後日、店員から指摘《してき》を受けてBGM《ビージーエム》を落ち着いた雰囲《ふんい》気のものに変えたという。いろいろ試してみて売り上げ金額《きんがく》のデータを取り、最適《さいてき》なBGM《ビージーエム》を見つけることができたのである。

48

村おこし大作戦

成功→なぜ？

ときは、江戸《えど》時代の後期。

「二宮殿《にのみやどの》、あなたの才覚を見こんでお願いします。ほかに頼《たよ》りにできる人がいないのです。どうか下野国《しもつけのくに》（現在《げんざい》の栃木県）桜町領《さくらまちりょう》を救《すく》ってください！」

小田原《おだわら》（現在《げんざい》の神奈川県の一部）の藩主《はんしゅ》・大久保《おおくぼ》氏に頭を下げられ、二宮金次郎《にのみやきんじろう》は恐縮《きょうしゅく》してしまった。

「いや……そう言われましても。下野国《しもつけのくに》は遠いですからねぇ。」

金次郎《きんじろう》は相模国《さがみのくに》（現在《げんざい》の神奈川県）生まれの農業政治家《せいじか》だ。金次郎《きんじろう》の家は、わりに裕福《ゆうふく》な農家だった。だが、川の氾濫《はんらん》によって田畑を失い、家は没落《ぼつらく》してしまう。金《きん》次郎《じろう》はそんな苦境《くきょう》に負けず、畑仕事をしながら一生けん命に勉強にはげんだ。その知識《ちしき》を活《い》かして、家を再建《さいけん》したのである。

その評判《ひょうばん》が広まり、小田原藩内《おだわらはんない》の武家《ぶけ》の財政《ざいせい》立て直しを頼《たの》まれたり、地域《ちいき》の農業の計画について相談されるようになった。そして、次々《つぎつぎ》に成功させたのである。

金次郎《きんじろう》はすっかり「農業と財政《ざいせい》立て直しのプロ」として有名になり――新たに頼《たの》まれたのがこの件《けん》だ。

金次郎《きんじろう》は、ひとまず下野国《しもつけのくに》に向かった。どんな様子なのか下見をしてみないと判《はん》断《だん》できないと思ったのだ。

（うわぁ、これはひどい。）

金次郎《きんじろう》は言葉を失った。

（下野国《しもつけのくに》の農村は、ききんの影響《えいきょう》で荒《あ》れ果てていると聞いてはいたが。）

目の前に広がっているのは畑のはずだが、草木がのびまくって荒《あ》れ放題だ。あたりを見回したが、畑に立つ人の姿《すがた》がない。

（領主《りょうしゅ》に会って話をしてみよう。）

金次郎《きんじろう》はその足で、下野国桜町領《しもつけのくにさくらまちりょう》の領主《りょうしゅ》・宇津《うつ》氏を訪《たず》ねた。

「わが領《りょう》が荒《あ》れ果てたのは、ここ数年の話ではないんだ。かつてはもっと人口が多かったのだが――多くの農民がよその土地に逃《に》げていってしまったんだ。まったくひどい話だよ。」

領主《りょうしゅ》は不愉快《ふゆかい》そうにため息をついた。

「残った農民もなまけ者ばかりときてる。年貢《ねんぐ》（領主《りょうしゅ》や大名が農民から取り立てた税《ぜい》。当時は米で徴収《ちょうしゅう》された）も、ちゃんとおさめない。わたしが決めた量の半分にも届《とど》かないんだ。おかげで、わたしは江戸城《えどじょう》に出かけて将軍《しょうぐん》にお目にかかることもできないんだ！」

金次郎《きんじろう》は返答に困《こま》ってしまった。

（ずいぶんわがままな領主《りょうしゅ》様だなぁ。）

だが、何度も小田原藩主《おだわらはんしゅ》に頼《たの》みこまれては、断《ことわ》りきれなかった。小田原藩主《おだわらはんしゅ》は、宇《う》津《つ》氏とは親せき関係なのでほうっておけなかったのだ。

家族を連れ、桜町領《さくらまちりょう》に引っ越《こ》してきた金次郎《きんじろう》はさっそく行動を開始した。

農業の専門知識《せんもんちしき》を活《い》かし、用水路を建設《けんせつ》したり、農民たちに荒《あ》れた土地を整備《せいび》する方法を手取り足取り教える。もっとも農民たちはやる気がなさそうだ。

「オレの田んぼはちっぽけだからな。田んぼいっぱいの米が穫《と》れても年貢《ねんぐ》で持っていかれるだけだ。」

「先祖代々《せんぞだいだい》受け継《つ》いだ土地がちっぽけなんだからしょうがない。貧《まず》しい家に生まれたら、貧乏《びんぼう》からぬけ出せないよ。」

こんな会話を耳にして金次郎《きんじろう》はハッとした。

(みんな、すっかり気力をなくしているんだな。)

金次郎《きんじろう》は領主《りょうしゅ》に頼《たの》み、過去《かこ》120年分の帳簿《ちょうぼ》を出してもらった。

(なるほど。たしかに決められた年貢《ねんぐ》を半分もおさめている人なんていない。つまり、年貢《ねんぐ》が高すぎるんだ。)

金次郎《きんじろう》は、領主《りょうしゅ》に年貢《ねんぐ》を半分以下に減《へ》らす提案《ていあん》をした。

『がんばれば払《はら》えそう』と思えば、農民もやる気を出すはずです。小さな田畑しか持っていない人には今の年貢《ねんぐ》は高すぎる。もとから払《はら》えそうもないから、働く気もしなくなるんです。」

ピシャリと言われ、領主《りょうしゅ》はしぶしぶ金次郎《きんじろう》の提案《ていあん》を受け入れた。

(貧《まず》しい暮《く》らしから抜《ぬ》け出すには、もっとたくさん収穫《しゅうかく》しなくちゃならない。一生けん命がんばるだけじゃ、現状維持《げんじょういじ》が関の山だ。となると、必要なのは……?)

金次郎《きんじろう》は、新たな作戦を考え出した。

そして、それは——金次郎《きんじろう》のねらい通りに大きな実を結び、村はやがて復興《ふっこう》をとげたのである。

金次郎《きんじろう》が考えた、農民にやる気を出させる作戦とはどんなものだろうか。

解《かい》説《せつ》

農民たちが持っている田畑は小さいので、どんなにがんばっても収穫《しゅうかく》できる量はかぎられている。そこで、金次郎《きんじろう》は無利子で資金《しきん》を貸《か》し、新しく田畑を開発することをすすめたのだ。金次郎《きんじろう》はさらに、がんばった農民を表彰《ひょうしょう》する制度《せいど》を設《もう》けたりして、みんなの意欲《いよく》を高めた。また、引き下げた年貢《ねんぐ》高にもとづいて領地《りょうち》の財政《ざいせい》計画を立て、領主《りょうしゅ》にはその予算内で節約生活をするように進言したのだ。

二宮金次郎《にのみやきんじろう》は、「二宮尊徳《にのみやそんとく》」の名でも知られる。「自分だけがもうかって幸せになればいいのではなく、この世のすべてに感謝《かんしゃ》し、行動することが社会と自分のためになる」――これが金次郎《きんじろう》の考え方の基礎《きそ》だ。勤勉《きんべん》に努力し続けること、つつましく節約して暮《く》らすことを説き、みずから実践《じっせん》した二宮金次郎《にのみやきんじろう》は、理想の人物像《ぞう》とたたえられたのである。

49

当代一の脚本家《きゃくほんか》

成功→なぜ？

江戸《えど》時代は、庶民《しょみん》が楽しめる娯楽《ごらく》文化が大きく発展《はってん》した時代であった。

たとえば、一大ブームとなったのは庶民《しょみん》の生活や風俗《ふうぞく》などを描《えが》いた「浮世絵《うきよえ》」。「浮世《うきよ》」とは「世の中」という意味だ。名所を描《えが》いた絵も売れたし、美人や人気の役者を描《えが》いたものはグラビアやブロマイドのような存在《そんざい》だった。

もちろんテレビなんてないので——庶民《しょみん》の大きな楽しみは芝居《しばい》小屋に通うことだったのである。

そんな時代に、数々《かずかず》の大ヒット作を書いた近松門左衛門《ちかまつもんざえもん》という男がいた。

「やっぱり近松《ちかまつ》の『曽根崎心中《そねざきしんじゅう》』はおもしろいねぇ。」

「あたし、ヒロインのお初に共感しちゃったわ。あんた、もしあたしとの結婚《けっこん》を反対されたらいっしょに死んでくれる？　徳兵衛《とくべえ》とお初みたいにさ。」

「え……オレ、死ぬのはいやだなぁ。」

「フン！　こういうときは『もちろんだよ』って言えばいいの。あんたってロマンがわかんない男ね！」

若《わか》い恋人《こいびと》たちが、自分が脚本《きゃくほん》を書いた『曽根崎心中《そねざきしんじゅう》』の話をしているのを小耳にはさんで、近松《ちかまつ》はニヤリと笑った。

（よしよし、オレの作品は相変わらずウケてるな。）

当初、『曽根崎心中《そねざきしんじゅう》』は人形浄瑠璃《にんぎょうじょうるり》（三味線の音楽や語りに合わせて演《えん》じる人形劇《にんぎょうげき》）のために書いた話だった。大人気を取って、今では歌舞伎《かぶき》の演目《えんもく》にも採用《さいよう》されているのだ。

歌舞伎《かぶき》や浄瑠璃《じょうるり》のストーリーは、歴史上《れきしじょう》の英雄《えいゆう》が活躍《かつやく》するものばかりだった。しかし、近松《ちかまつ》は庶民《しょみん》を主人公にした話を書いて人気を得《え》たのである。

一躍《いちやく》売れっ子になった近松《ちかまつ》に嫉妬《しっと》して、彼《かれ》の悪口を言う者もあった。

「なんだ、近松門左衛門《ちかまつもんざえもん》ってヤツは。男と女がくっつくとか別れるとか……チマチマした軟弱《なんじゃく》な話ばっか書きやがって。」

「そうだよな。近松《ちかまつ》の書く話は、町のうわさ話レベルだ。」

こんな批判《ひはん》が耳に入っても、近松《ちかまつ》はまったく平気だった。

（なんと言われようとオレの作品は次々《つぎつぎ》に大当たりを取っているんだからな。）

近松《ちかまつ》は求められるまま、猛《もう》スピードで作品を書きまくっていた。


「近松《ちかまつ》先生！」

ある芝居《しばい》小屋の使い走りの男は近松《ちかまつ》の家の前に立ち、声をはり上げた。

何度呼《よ》びかけても返事がない。

（きのうも一昨日もるすだったのに、今日も出かけてるのか？　もしかして、脚本《きゃくほん》が書けなくているすを使ってるのかな。）

「失礼しますよ！」

男はガラリと引き戸を開けた。

部屋《へや》はもぬけのカラである。

（うーん。今日、脚本《きゃくほん》を持って帰らないとオレが座長《ざちょう》に怒《おこ》られてしまう。帰ってくるまでここで待つしかないか。）

男が腕組《うでぐ》みをしてウロついていると……。

「もしかしてオレを待ってたのか？」

近松《ちかまつ》が帰ってきたので、男はホッとした。

「待ってたなんてもんじゃないですよ。締《し》め切りは一昨日だったじゃないですか。いつ来てもいないんだから困《こま》っちゃいますよ。」

「そりゃあ悪かった！　ほら、できてるよ！」

近松《ちかまつ》はぶあつい紙の束を男にわたす。

男はポカンとした。

「あ、できてたんですか。ありがとうございます……。」

男は原稿《げんこう》を大事にかかえながら、歩き出した。

（近松《ちかまつ》先生はあんなに遊び歩いてばかりで、いつ仕事してるんだろう。脚本家《きゃくほんか》ってのはふつう家にこもってるものだけど。）

しかし——近松《ちかまつ》がしょっちゅう出歩いているのにはちゃんとしたわけがあったのである。

近松門左衛門《ちかまつもんざえもん》が出歩いてばかりいたのはなぜだろうか。

近松《ちかまつ》はストーリーのネタを拾うために町をかけ回っていたのだ。大ヒット作『曽《そ》根崎心中《ねざきしんじゅう》』や『心中天網島《しんじゅうてんのあみじま》』も、実際《じっさい》に起こった悲劇的《ひげきてき》な恋愛事件《れんあいじけん》をもとにしたもの。町人たちのうわさ話が耳に入ると、出かけていっていろいろな人からくわしく話を聞き、それをもとに書き上げるのだ。庶民《しょみん》が興味《きょうみ》を持ったことを題材にしているからウケるのも当然だが、これは後から解釈《かいしゃく》するから言えること。それまでの浄《じょう》瑠璃《るり》は、決まって武士《ぶし》や貴族《きぞく》を主人公に、歴史上《れきしじょう》の事件《じけん》を題材にしていた。近松《ちかまつ》が「世話物《せわもの》（庶民《しょみん》社会の身近な事件《じけん》を描《えが》く物語）」というジャンルを生み出したことは日本の演劇史上《えんげきしじょう》の大革命《かくめい》といわれる。近松《ちかまつ》は書くのが早く、役者と話の筋《すじ》を相談しながら脚本《きゃくほん》を書き上げることもあったという。

近松門左衛門《ちかまつもんざえもん》は武士《ぶし》の子として生まれた。趣味《しゅみ》で芝居《しばい》小屋に通ったことをきっかけに、脚本家《きゃくほんか》に転身。脚本家《きゃくほんか》デビューは31歳《さい》ごろ、50歳《さい》で書いた『曽根崎心中《そねざきしんじゅう》』が最初のヒット作だ。71歳《さい》で没《ぼっ》するまでに多くの作品をのこしている。

50

億万長者の哲学《てつがく》

蓄財《ちくざい》→なぜ？

ときは明治時代のなかごろ。

「本多《ほんだ》先生って変わってるよなぁ。」

本多静六《ほんだせいろく》は、学生たちにときどきそんなふうに評《ひょう》されたものだ。

静六《せいろく》は海外留学《りゅうがく》がまだめずらしかった時代にドイツに留学《りゅうがく》し、林学（森林や林業についての技術《ぎじゅつ》・経済《けいざい》を研究する学問）をおさめている。ふつうなら4年かかる課程《かてい》を、猛《もう》勉強のすえに2年間で終え、みごと卒業試験に合格《ごうかく》した。

ドイツから帰国すると、東京帝国《ていこく》大学農科大学（現在《げんざい》の東京大学農学部）の助教授《じょきょうじゅ》に就任《しゅうにん》。25歳《さい》の若《わか》さで助教授《じょきょうじゅ》になるのは、異例《いれい》である。

もっとも、静六《せいろく》が「変わっている」と言われるのはなみはずれたエリートだからではない。

大学の先生ならまあまあ高い給料をもらっているはずだ。

なのに、静六《せいろく》の暮《く》らしぶりは驚《おどろ》くほどつつましかったのである。

「この間の弁当《べんとう》なんて、ごはんにごま塩だけだったぜ。」

「そんなに貧乏《びんぼう》なのか？　いや、ケチなのかな。オレ、前に書きそんじた紙をやぶって捨《す》てたら注意されたことがあるんだ。『もったいないことをしてはいかん。裏《うら》に書けるじゃないか』って。」

たしかに「ケチ」とも言えるが——いや、そうではない。静六《せいろく》はきちんとした目標にそって行動する「節約家」だったのだ。

静六《せいろく》には、25歳《さい》で助教授《じょきょうじゅ》になったときから続けていることがある。

そのひとつは、毎月必ず給料の４分の１を貯金《ちょきん》することだ。

（お金があまったら貯金《ちょきん》しようと思っても、たまるわけがない。給料の４分の１を先に貯金《ちょきん》して、それは「ないもの」としてしまえば、残りのお金でやりくりするしかなくなる。)

実際《じっさい》、月末にはお金が足りなくなった。それで、食事もそまつになったわけだ。子どもが生まれ、大きくなると「父さん、ごま塩のおかずばっかりなんてひどいよ」と文句《もんく》を言われたこともある。

静六《せいろく》は自分の考えを子どもたちにもていねいに説明した。

「うちは貧乏《びんぼう》で、やむをえず生活を切りつめているんじゃない。自分から、積極的に貯蓄《ちょちく》することにつとめて、貧乏《びんぼう》を圧倒《あっとう》することに挑戦《ちょうせん》しているんだよ。」

静六《せいろく》はこうして「4分の1貯金《ちょきん》」を続け、それを元手に投資《とうし》を行う。投資《とうし》とは、将来《しょうらい》、価値《かち》が上がりそうなものにお金を投じることだ。静六《せいろく》は主に、値上《ねあ》がりしそうな土地や山林や、株式《かぶしき》(株式会社《かぶしきがいしゃ》が資金《しきん》を集めるために発行する株券《かぶけん》)に投資《とうし》して、財産《ざいさん》を増《ふ》やしていく。

もうひとつ、静六《せいろく》が欠かさなかったのは、1日1ページの原稿《げんこう》を書くことだ。どんなにいそがしくても毎日机《つくえ》に向かい、勤勉《きんべん》に努力を続け——この積み重ねがあって、静六《せいろく》は生涯《しょうがい》に370冊《さつ》あまりの著書《ちょしょ》を出版《しゅっぱん》することになる。

33歳《さい》で教授《きょうじゅ》になった静六《せいろく》の名は「林学博士《はくし》」としても広まっていった。日本で最初の西洋風の公園である日比谷《ひびや》公園（東京）をはじめ、人々《ひとびと》のいこいの場となる公園をつくるため、全国各地をとび回った。

しかし、収入《しゅうにゅう》が増《ふ》えても静六《せいろく》の暮《く》らしぶりは変わらない。相変わらず、収入《しゅうにゅう》が入るたびに4分の1をきっちり貯金《ちょきん》した。ときには、ほしいものを「買ったつもり」で、実際《じっさい》はガマンしてそのお金を貯金箱《ちょきんばこ》に入れる「つもり貯金《ちょきん》」もした。


「どうしてそうまでしてお金を貯《た》めるんだろう？」

「豪邸《ごうてい》でも建てて、老後はぜいたくをして暮《く》らすつもりじゃないか。」

こんなふうにうわさする者もあったが、静六《せいろく》は「ぜいたくな暮《く》らしがしたい」などと考えたことはなかった。

その証拠《しょうこ》に大学を退職《たいしょく》したのちは、財産《ざいさん》のほとんどを寄付《きふ》しているのだ。

静六《せいろく》が長年節約に努めながら財産《ざいさん》を増《ふ》やしたのは、ドイツ留学《りゅうがく》中に指導《しどう》を受けた先生の「独立《どくりつ》した生活ができるだけの財産《ざいさん》を築《きず》け」という言葉がきっかけだという。

「生活費《ひ》の心配をしないで研究を続けられるように、お金を貯《た》めておくということですか？」

そう質問《しつもん》されると、静六《せいろく》は笑って首を横にふる。

「いや、お金を貯《た》めたのは自分の信念を守るためだよ。」

静六《せいろく》は「お金を貯《た》めるのは自分の信念を守るため」だという。「生きぬく」という意味がこめられたこの言葉には、どんな意味があるのか想像してみてほしい。

解説《かいせつ》

静六《せいろく》がドイツ留学《りゅうがく》時代の先生からさずかった言葉は「独立《どくりつ》した生活ができる財産《ざいさん》がないと他人に遠慮《えんりょ》することになり、自分の信念を貫《つらぬ》くことができず、学問もなしえない」という意味である。お金のために自分の気持ちにそむくことを「魂《たましい》を売る」などというが、もし、お金がないために悪人の手先となって働くとしたら？　そんな生き方は幸せではないだろう。貯蓄《ちょちく》は自分の信念を守るものでもあるのだ。

本多静六《ほんだせいろく》は生涯《しょうがい》にわたって地道な努力を続けた。日本全国の公園を手がけた造園《ぞうえん》家《か》、「林学」の学者としての功績《こうせき》も大きいが、現在《げんざい》の価値《かち》で１００億円もの資産《しさん》を築《きず》いた資産家《しさんか》としても名高い。「お金の貯《た》め方、増《ふ》やし方」だけでなく、「努力がすべて」とする考え方、生き方は多くの人に影響《えいきょう》を与《あた》えている。退職《たいしょく》後は巨額《きょがく》の財産《ざいさん》を社会事業に寄付《きふ》して、田舎《いなか》で質素《しっそ》に暮《く》らしたという。昼は畑仕事、夜は林学や公園設計《せっけい》の研究を続けながら、講演《こうえん》活動を行った。

参考文献

『アイデアのマル珍天才』暮らしの達人研究班／編（青春出版社）
『お金の流れでわかる世界の歴史』大村大次郎（ＫＡＤＯＫＡＷＡ）
『おとなの一般教養　お金の世界史２００問』宮崎正勝／監修、日本放送出版協会／編（日本放送出版協会）
『大人の博識雑学１０００』雑学総研（ＫＡＤＯＫＡＷＡ）
『買いたがる脳　なぜ、「それ」を選んでしまうのか?』デイビッド・ルイス（日本実業出版社）
『学校では教えてくれない大切なこと33　お金が動かす世界』旺文社／編（旺文社）
『詐欺とペテンの大百科』カール・シファキス（青土社）
『14歳から考えたいアメリカの奴隷制度』ヘザー・アンドレア・ウィリアムズ（すばる舎）
『図解　はじめて学ぶみんなのお金』エディ・レイノルズ他（晶文社）
『図解　眠れなくなるほど面白い経済とお金の話』神樹兵輔（日本文芸社）
『すごい実業家のアカン話』佐々木聡／監修（ナツメ社）
『西洋人物こばなし辞典』三浦一郎／編（東京堂出版）
『世界大富豪列伝　19-20世紀篇』福田和也（草思社）
『日本の発明・くふう図鑑』発明図鑑編集委員会／編著（岩崎書店）
『発想の瞬間　天才たちはいかにして世紀の発明・発見をしたか』高橋誠（ＰＨＰ研究所）
『ＵＳＪのジェットコースターはなぜ後ろ向きに走ったのか?』森岡毅（ＫＡＤＯＫＡＷＡ）

粟生こずえ（あおう・こずえ）

東京都生まれ。小説家、編集者、ライター。マンガを紹介する書籍の編集多数、児童書ではショートショートから少女小説、伝記まで幅広く手がける。おもな作品に、「3分間サバイバル」シリーズ（あかね書房）、『トリッククラブ キミは18の錯覚にだまされる!』（集英社みらい文庫）、『かくされた意味に気がつけるか? 3分間ミステリー 真実はそこにある』（ポプラ社）、『ストロベリーデイズ 初恋～トキメキの瞬間～』『ストロベリーデイズ 友情～くもりのち晴れ～』（主婦の友社）など。『必ず書ける あなうめ読書感想文』（学研プラス）はロングセラーを記録中。

装画　　秋赤音
校正　　有限会社シーモア
装丁　　小口翔平＋奈良岡菜摘＋畑中茜（tobufune）

3分間サバイバル

チャンスを生かせ!　大富豪の一手

2022年12月初版　2023年10月第4刷

作　　粟生こずえ
発行者　　岡本光晴
発行所　　株式会社あかね書房
〒101-0065 東京都千代田区西神田3-2-1
電話　営業（03）3263-0641
　　　編集（03）3263-0644
印刷・製本　　中央精版印刷株式会社

NDC913　255ページ　19cm×13cm

ISBN978-4-251-09685-2